Dydd Mercher, Chwefror 23

Wn i ddim pam rydw i'n eistedd yn fan'ma yn sgwennu hwn. Mae'n gas gen i sgwennu fel arfer ond does 'na ddim byd arall i'w wneud heno. Ac mae'n rhaid imi wneud rhywbeth. Mae'r tŷ 'ma mor ddistaw – dim sŵn o gwbwl ond sŵn y gwynt a'r glaw yn taro yn erbyn ffenest y llofft. Mi fedrwn i edrych ar y teledu, mae'n debyg, ond mae rhywbeth wedi digwydd i'r arial – dim ond BBC2 rydyn ni'n ei gael a dydw i ddim yn deall hanner y pethau sydd ar hwnnw. Dydi Dad byth wedi trwsio fy mheiriant casetiau i a fedra i ddim ffonio Nerys – mae hi wedi mynd i weld ei nain heno. Ew! Mae'r lle 'ma'n ddistaw fel y bedd! Rydw i'n clywed y beiro'n crafu'r papur a bron nad ydw i'n clywed fy meddwl yn gweithio! "Synnu dim! *Mae* pethau rhydlyd yn gwichian!" fasai ymateb Dylan i hynna. O! mi leciwn i tasai fo ddim wedi mynd i ffwrdd i'r coleg! Feddyliais i 'rioed y basai gen i hiraeth am fy mrawd mawr ond mi fasai ei gwmni fo, hyd yn oed, yn well na dim. Mae'r tŷ 'ma mewn lle mor unig. Fasai neb yn fy nghlywed i taswn i isio gweiddi "Mwrdwr!" neu "Rêp!"

Ond hel meddyliau gwirion rydwi i rŵan. "Mae isio bod yn *bositif*." Dyna ddeudodd Mam wrth gychwyn allan i'w phwyllgor 'Merched yn erbyn y Bom' neu 'Dawnswyr dros Heddwch' neu beth bynnag oedd gynni hi heno. Mae 'na rywbeth bob nos – mae hi '*into*' pethau fel'na yn ofnadwy y dyddiau yma. Mi driais i awgrymu y basai'n braf cael ei chwmni hi am unwaith. Wedi'r cwbwl, fasai hi ddim yn ddiwedd y byd tasen nhw ddim yn cael gwared o'r bom. Wel, gobeithio na fasai hi ddim beth bynnag.

"Meddylia yn *bositif*, Delyth," meddai hi dros ei hysgwydd wrth ruthro am y car. "*Gwna* rywbeth yn lle cwyno. Pam na ddechreui di sgwennu yn y dyddiadur mawr 'na gest ti gan Anti Jên, Dolig?" Mae Mam yn gredwr cryf mewn gwneud pethau.

A dyma fi *yn* gwneud rhywbeth. Yn sgwennu yn nyddiadur Anti Jên, a bod yn fanwl. Ac, a dweud y gwir, rydw i'n cael eitha blas arni hi. Mi fasai Parri bach Cymraeg yn cael ffit tasai fo'n fy ngweld i. Does gynno fo fawr o feddwl o'm dawn sgwennu i. Pedwar deg tri ges i gan y mwnci yn yr arholiad ddiwedd y tymor diwetha. "Dylai ddarllen mwy," meddai fo yn ei adroddiad ac os ydi Mam a Dad wedi ailadrodd y geiriau doeth yna unwaith, maen nhw wedi gwneud ganwaith. Dydyn nhw ddim yn credu mewn gorfodi, wrth gwrs – maen nhw'n meddwl bod hynny'n hen ffasiwn – ond maen nhw'n medru *awgrymu*'n gryf. Mi ges i bump llyfr yn anrhegion Dolig ac maen nhw'n stwffio cylchgronau'r Urdd a phethau felly dan fy nhrwyn i bob cyfle gân' nhw. Maen nhw'n mynd cyn belled weithiau â gadael llyfrau llyfrgell mewn lleoedd amlwg fel rhwng y tôst a'r marmaled ar y bwrdd brecwast neu ar gaead pan y tŷ bach. Mi fu bron imi dorri fy ngwddw y diwrnod o'r blaen wrth faglu dros y copi o'r *Mabinogi* roedden nhw wedi'i osod yn ddel ar y grisiau! Maen nhw'n gwneud eu gorau glas i helpu Parri bach i'm cael i i ddarllen a hwythau'n gwybod yn iawn beth mae *o*'n ei ddarllen dan y ddesg ar ôl gosod gwaith i ni. Fedra i ddim dweud fy mod i wedi'i weld o fy hun ond mae Nerys yn taeru iddi weld cylchgrawn go amheus ar liniau tew yr hen Parri pan aeth hi i fyny i gael marcio'i llyfr. Does ryfedd yn y byd, meddai hi, bod yr hogiau'n mynd i fyny mor aml i ofyn ei farn ynglŷn â lle i roi atalnod llawn a phethau pwysig felly.

Mi grybwyllais i'r peth wrth Mam a Dad pan oedden nhw'n digwydd bod yn y tŷ ryw amser swper. Rôn i'n meddwl y basen nhw'n fy nhynnu i o'i wersi o, neu o'r ysgol, hyd yn oed, efo dipyn o lwc. Ond ches i fawr o ymateb.

"Dydw i'n synnu dim," oedd yr unig beth ddeudodd Dad. "Mae'n rhaid i bawb gael ei gynhyrfu rywsut a go brin y basai'r un ferch yn edrych ar Aneurin Parri. Dydi o ddim yn edrych ar ei ôl ei hun!"

Mae edrych ar ei ôl ei hun yn beth pwysig iawn gan Dad y dyddiau yma. Dyna lle mae o heno – wedi mynd am jog. A hithau'n pistyllio bwrw! Mi ddaw'n ôl yn y munud yn wlyb at ei groen, ei bengliniau blewog yn taro'n erbyn ei gilydd a'r gwallt sy'n arfer cael ei gribo'n ofalus dros ei le moel yn hongian yn un llinyn gwlyb dros ei glust chwith. Ac mi gymerith arno ei fod o wedi mwynhau pob eiliad! Mae o wedi trio fy mherswadio i i fynd efo fo ac efallai yr a' i yn yr haf. Faswn i byth yn cyfaddef wrth neb ond Nerys ond mi leciwn i golli dipyn o bwysau. Mae Nerys yn meddwl y basai 'na fwy o siawns i Trystan Jones edrych arna i wedyn. Rydw i dipyn bach yn *nobl* ar hyn o bryd, meddai hi, a does dim rhyfedd meddaf innau. Cynhesu *pizza* neu bastai i mi fy hun fydda i i swper bob nos ac mae pawb yn gwybod bod pethau felly'n llwythog o galorïau. O! tasai Trystan Jones yn cymryd sylw ohona i, mi faswn i ar ben y byd! Mi golla i bwysau ac wedyn efallai y gwneith o syrthio mewn cariad efo fi. Faswn i'n malio dim wedyn bod Mam a Dad yn mynd allan bob nos a bod Mam yn meddwl am ddim ond achub y byd a Dad yn meddwl am ddim ond achub ei ffigwr.

Argol! Mi fasai Parri bach wrth ei fodd efo fi! Rydw i wedi sgwennu llyfr bron! Rydw i'n meddwl y rho i'r gorau iddi rŵan hefyd. "Gormod o ddim nid yw dda," meddai Mam wrth drafod bomiau a Dad wrth drafod colesterol. Mi a' i i lawr i wneud paned. Siawns na ddaw'r ddau adre cyn bo hir.

Dydd Mawrth, Mawrth 1

Haleliwia! Mae'n rhaid imi sgwennu hwn er mwyn imi gael ei weld o mewn du a gwyn a'i gofio fo am byth. Heddiw mi ddigwyddodd y peth mwya ffantastig ddigwyddodd i mi erioed. MI SIARADODD TRYSTAN JONES EFO FI! Mi siaradodd o efo fi ac mi wenodd o arna i ac mi ddiolcha i i Ddewi Sant am byth!

Ar ein ffordd o'r stafell goginio yr oedd Nerys a finnau. Roedden ni'n hwyr i'r wers Gymraeg am fod fy mhwdin *meringue* i'cau setio neu sychu neu beth bynnag mae *meringue* i fod i'w wneud. Rôn i wedi cael tafod gan Cadi Cwc – yr hen jadan iddi hi – am fod yr ola i orffen ac rôn i'n gwybod bod tafod arall yn ein haros ni gan Parri bach am fod yn hwyr. Felly, a dweud y gwir, roedd Trystan Jones ymhell o'm meddwl i pan ruthrais i heibio i stafell y chweched dosbarth gan ddal plât y *meringue* mor wastad ag y medrwn i o'm blaen. Fel y dois i at y drws mi agorodd yn sydyn a phwy ddaeth allan ond Trystan Jones! Mi sgidiais i i stop a'r pwdin *meringue* yn crynu fel adeilad mewn daeargryn. Ac mi wenodd arna i!

"Mmm!" meddai fo. "Mae hwnna'n edrych yn flasus!"

"Dach chi isio tamaid?" meddwn i'n syth ac mi gochais at fy nghlustiau wrth glywed Nerys yn pwffian chwerthin y tu ôl imi. Ond wnaeth *o* ddim chwerthin, dim ond gwenu'n annwyl.

"Dim diolch," meddai fo. "Gwell imi beidio â difetha'r campwaith!"

Ac i ffwrdd â fo i lawr y coridor a minnau'n edrych ar ei ôl o, fy ngheg yn llydan agored a'm coesau i'n crynu fel jeli.

"Rwyt ti'n edrych fath â pysgodyn, Delyth Haf. Fath â *jelly-fish*, a bod yn fanwl!" meddai Nerys. "Tyrd wir, rydan ni'n hwyr yn barod."

Mi ddawnsiais i i fyny'r grisiau ac i'r stafell Gymraeg. Fedrwn i ddim teimlo'n gas at Parri bach hyd yn oed pan roddodd o waith ychwanegol inni am fod yn hwyr. Ar unrhyw ddiwrnod arall mi faswn i'n teimlo fel plannu'r *meringue* yn ei wyneb o ond heddiw rôn i'n rhy hapus i hynny. Mi dreuliais i'r wers yn breuddwydio am orwedd ar y traeth – yn denau ac yn ddel mewn bicini bach, bach a Trystan Jones yn rhwbio olew ar fy nghefn i. Chlywais i fawr o ddim ddeudodd yr hen Parri. Rydw i'n meddwl mai canmol Dewi Sant am yfed dim ond dŵr oedd o. Am wyneb! A'i fol cwrw o'i hun yn hongian dros ei drowsus o!

Mi ddeudais i'r hanes wrth Mam ar ôl dod adre. Roedden ni'n dwy'n eistedd wrth fwrdd y gegin yn bwyta'r pwdin *meringue*. Neu o leiaf, rôn *i*'n ei fwyta fo – troi rhyw ddarn bach yn ôl ac ymlaen efo'i llwy roedd Mam. Roedd Dad, wrth gwrs, wedi gwrthod sbio arno fo hyd yn oed.

"Y pwdin yma wnaeth y tric," meddwn i wrth Mam. "Trwy ei stumog mae mynd at galon dyn, medden nhw."

"Paid ti â gwrando arnyn nhw," meddai Mam yn reit swta. "Does dim isio tendio ar ddynion. Os ydi dyn yn llwgu mi wneith fwyd iddo'i hun." Ac mi edrychodd hi'n ddigon sychlyd ar Dad oedd yn brysur yn gratio moron iddo'i hun ym mhen arall y gegin. Wn i ddim pam ei bod hi'n flin – fasai bwydo Dad ddim yn faich ar unrhyw un y dyddiau yma ac yntau'n bwyta cyn lleied. Prun bynnag, anaml iawn y bydd Mam gartre i wneud bwyd i'r un ohonon ni. A waeth gen i beth mae hi'n ei ddweud – mi faswn i yn y nefoedd taswn i'n cael tendio ar Trystan Jones.

Mi aeth y ddau allan wedyn. Mam i'r Ganolfan Hamdden lle mae hi'n cymryd dosbarth dawns bob nos Fawrth a Dad i'r un lle i chwarae badminton. Mae'n braf eu gweld nhw'n mynd i rywle efo'i gilydd am unwaith. Wn i ddim beth wna i ar ôl sgwennu hwn. Golchi fy ngwallt, rydw i'n meddwl. Efallai y gwneith Trystan siarad efo fi fory.

Dydd Iau, Mawrth 3

Rydw i ar ben y byd, ar ben fy nigon, yn y seithfed nef, ym mharadwys, yn hapus, hapus, hapus! Mae Trystan Jones wedi siarad efo fi eto! Mae o'n fy nghofio fi. O! haleliwia! Rydw i'n siŵr ei fod o'n fy lecio i dipyn bach er bod Nerys yn dweud na fasai hogyn o'r chweched byth isio mynd allan efo hogan o'r pedwerydd dosbarth.

"Ella dy fod ti'n *fawr* o dy oed," meddai hi, "ond dwyt ti ddim yn ddigon hen nac yn ddigon call i fod yn gariad iddo fo."

Rydw i'n blino braidd ar y ffordd mae hi'n rhygnu 'mlaen am fy mhwysau i. Mae'n iawn arni hi – mae hi'n denau ac yn medru rhedeg fel fflamia i lawr y cae hoci. Does ryfedd bod Hanna Meri wedi gwirioni arni hi ac wedi addo y ceith hi fod yn y tîm cyn bo hir. Does dim ots gen i. Does gen i ddim diddordeb mewn chwysu peintiau yn carlamu ar ôl rhyw bêl fach wen efo ffon yn fy llaw. P'run bynnag, rydw i wedi colli dau bwys yn barod. Os dalia i ati fel hyn mi fydda innau fel weiren gaws erbyn yr haf ac mae Dad, hyd yn oed, wedi sylwi bod fy ngwallt i'n ddelach yr wythnos yma. Ac fel arfer mae o'n rhy brysur yn syllu i'r drych i sylwi ar neb arall. Dydw i ddim yn meddwl bod Nerys o ddifri chwaith. Tynnu coes roedd hi, rydw i'n siŵr. Mae hi'n ffrind da ac roedd hi wedi cynhyrfu bron gymaint â fi pan ddaeth Trystan Jones i mewn i'r stafell ddosbarth amser cinio a'n dal ni'n dwy'n cuddio wrth y gwresogydd. Roedd o ar ddyletswydd, yn mynd o gwmpas yn troi pobol allan i'r oerni.

"Helô, Miss Meringue," meddai fo pan welodd o fi. "Trio cadw'n gynnes? Wel, welais i monoch chi, cofiwch!"

Ac allan â fo a'n gadael ni'n gynnes ac yn glyd. Mae'n *rhaid* ei fod o'n fy lecio fi!

Gwell imi bacio cyn mynd i'r gwely. Rydw i'n mynd i aros i dŷ Nerys nos fory a nos Sadwrn – Dad yn mynd ar gwrs sgïo a Mam i ryw gynhadledd ar arfau niwclear. Ac wrth gwrs, fydd Dylan ddim gartre – dydyn ni ddim wedi'i weld o ers gwyliau'r Dolig. Rydw i wrth fy modd yn mynd i dŷ Nerys. Mi gawn ni'n dwy siarad tan berfeddion a rhoi'r byd yn ei le go iawn. Mae Nerys a finnau'n deall ein gilydd i'r dim er ei bod hi'n rêl *boss* weithiau. Mae hi fel tasai hi'n teimlo bod yn rhaid iddi hi edrych ar fy ôl i am ei bod hi'n well na fi efo gwaith ysgol a hoci a choginio a bron bob dim arall. Rydw i'n lwcus iawn i'w chael hi'n ffrind. Mae Rhiannon a Judith a genod eraill y dosbarth yn ddigon clên ond mae'n well gen i Nerys o lawer.

Dydd Sul, Mawrth 6

Hei! rydw i'n cael eitha blas ar sgwennu'r dyddiadur 'ma! Mi fasai Parri bach yn falch ohona i! Rydw i newydd ddarllen yr hyn sgwennais i'r wythnos ddiwetha ac mae'n rhaid imi gyfaddef ei fod o'n ddigon diddorol. Efallai y gwneith rhywun ei gyhoeddi o'n llyfr ar ôl i mi farw ac, wrth gwrs, os bydda i wedi priodi Trystan Jones mi fydd yn ddiddorol iawn i'n plant a'n hŵyrion ni gael gwybod sut y gwnaethon ni ddechrau mynd efo'n gilydd.

Mae'r tŷ yn wag eto heno. Fydd Dad ddim yn hir. Mi aeth o allan am jog er 'i fod o'n cwyno'i fod o'n stiff ac yn ddu-las ar ôl yr holl sgïo ar y cwrs. Dydi Mam ddim yn dod yn ôl o'i chynhadledd tan fory. Efallai y dylwn i fod wedi mynd i jogio efo Dad. Rydw i'n siŵr fy mod i wedi ennill pwysau eto. Mi fwytais i gymaint yn nhŷ Nerys. Mae ei Mam hi'n grêt am goginio ac mi gawson ni ginio dydd Sul go iawn heddiw – cig, stwffin, tatws rhôst, llysiau, grefi a'r cwbwl. A phwdin reis ar ei ôl o! Mi wnaeth Nerys a finnau helpu dipyn efo'r paratoi y bore 'ma – plicio'r tatws a'r moron a ballu. Roedd hi'n gynnes braf yn y gegin a phawb yn eistedd o gwmpas yn yfed coffi ac yn sgwrsio.

"Bore Sul ydi amser brafia'r wythnos," meddai Mr Morgan, tad Nerys. Roedd o'n eistedd yn yr hen gadair freichiau flêr sydd wrth y stôf goed a slipas am ei draed.

Mae Nerys yn dweud ei fod o'n blino'n ofnadwy yn ei waith yn y ffatri a'i fod o'n mwynhau gwneud dim ar ddydd Sul.

A dweud y gwir, mi gawson ni i gyd ddiwrnod braf. Ar ôl y cinio mawr, mi wnaeth Gareth, brawd Nerys sydd yn y pumed dosbarth, a Nerys a finnau olchi'r llestri a'u sychu nhw. Rêl poen ydi Gareth. Fo oedd wrth y sinc a phob tro rôn i'n dod yn agos roedd o'n tasgu dŵr drosta i. Roedd o'n galw enwau arna i hefyd – Hipo ac Eliffant a phethau gwreiddiol felly. Oni bai ei fod o'n frawd i Nerys, faswn i ddim yn sbio arno fo heb sôn am siarad efo fo. Rydw i'n methu deall sut mae pobol glên fel Mr a Mrs Morgan wedi cael mab mor annifyr. Efallai'u bod nhw wedi cymysgu babis yn yr ysbyty!

Beth bynnag, ar ôl cinio mi aeth Mr a Mrs Morgan a Nerys a finnau am dro. Roedden ni'n chwilio am gynffonnau ŵyn bach i Mrs Morgan fynd i'r ysgol. Athrawes fabanod ydi hi yn un o ysgolion y dre. Mi welson ni rai o'r diwedd ond roedden nhw'r ochor arall i'r afon ac mi fu'n rhaid i Mr Morgan drio neidio dros y dŵr i'w nôl nhw. Wrth gwrs, wnaeth o ddim neidio'n ddigon pell ac mi wlychodd ei draed. Sôn am chwerthin! Roedden ni'n tair yn rhy wan i'w helpu o i'r lan. Mi wnaeth o'r un peth yn union y tro cynta 'rioed iddyn nhw fynd allan efo'i gilydd, meddai Mrs Morgan. Mi aethon nhw am dro pan oedden nhw yn y pumed dosbarth yn yr ysgol ac mi driodd o neidio dros yr afon i nôl blodau iddi hi ac mi syrthiodd a gwlychu. Y pumed dosbarth! Meddyliwch! Mi fydda i yn y pumed dosbarth y flwyddyn nesa! Ond erbyn hynny, wrth gwrs, mi fydd Trystan Jones wedi gadael yr ysgol ac mi fydd hi'n rhy hwyr i mi 'i ddal o. O! mae'n rhaid i rywbeth ddigwydd YN FUAN!

Dydd Llun, Mawrth 7

Wel, pwy fasai'n meddwl? Mae gan yr hen Parri gydwybod! Roedd o yn y gynhadledd arfau niwclear, meddai Mam pan ddaeth hi adre heno. Yn siarad yn gall iawn hefyd, meddai hi, ac roedd hi'n biti garw 'i fod o wedi gorfod gadael yn gynnar er mwyn mynd i'r ysgol heddiw. Mae'n rhaid imi gytuno efo hynny. Biti garw na fasai fo wedi aros yn y gynhadledd. Roedd gynnon ni Gymraeg heddiw a doedd treulio deuddydd yn trafod ewyllys da ddim wedi gwella llawer ar ei dymer o. Efallai 'i fod o fymryn bach yn gleniach nag arfer efo fi, erbyn meddwl. Wedi sylweddoli fy mod i'n ferch i heddychwraig enwog, mae'n siŵr. Wnes i 'rioed freuddwydio y basai fo'n poeni am bethau felly chwaith. Rôn i'n meddwl nad oedd gynno fo ddiddordeb mewn dim ond sigaréts a chwrw a lluniau budr.

"Mae'r slogan *'Make love not war'* yn ei siwtio fo'n iawn," meddai Nerys pan ffoniais i hi i ddweud yr hanes. "Mi fasai fo wrth 'i fodd yn dod i nabod genod Rwsia'n well. Croeso iddyn nhw ei gael o – yr hen sglyfaeth budur!"

Dydd Iau, Mawrth 10

Mae wythnos gyfan wedi mynd heibio er y tro diwetha i Trystan Jones siarad efo fi. Rydw i'n teimlo mor ddigalon. Mi brynais i bedwar ŵy Pasg bach siocled ar y ffordd adre o'r ysgol a'u bwyta nhw un ar ôl y llall. Beth ydi'r ots os ydw i'n dew ac os ydi fy ngwallt i'n flêr? Doedd o ddim yn flêr y bore 'ma chwaith. Mi godais i'n gynnar i'w olchi a'i sychu o am ei bod hi'n ddydd Iau a bod Trystan ar ddyletswydd ar ddydd Iau. Roedd Nerys a finnau wedi cynllunio y basen ni'n cuddio yn y stafell ddosbarth fel y gwnaethon ni'r wythnos ddiwetha ac, er nad oedd gan Nerys fawr o amynedd efo'r busnes, roedd hi wedi addo y basai hi'n gwneud esgus i ddiflannu pan fasai *FO*'n dod i mewn a'm gadael i ar fy mhen fy hun rhag ofn ei fod o'n rhy swil i ofyn imi yn ei gŵydd hi. Ond erbyn amser chwarae roedd hi'n pistyllio bwrw ac roedd yn rhaid i *BAWB* aros i mewn. Ac wrth gwrs, fedrai fo ddim gofyn o flaen dosbarth cyfan yn hawdd iawn. A rŵan, ar ôl imi loetran ar y ffordd adre yn bwyta wyau Pasg yn y glaw, mae fy ngwallt i'n edrych fel cynffonnau llygod mawr. O! mae bywyd yn ddiflas! Mae'r teledu'n dal yn od a'r peiriant casetiau wedi torri o hyd. Mae Mam yn peintio posteri ar fwrdd y gegin ac mae Dad yn gwneud *press-ups* ar lawr y stafell fyw. Mae hi'n rhy wlyb iddo fo hyd yn oed fynd i jogio heno.

Dydd Gwener, Mawrth 11

Mae bywyd yn grêt! Roedd heddiw'n ddiwrnod braf, yr awyr yn las, yr haul yn gynnes ac ŵyn bach yn prancio yn y cae wrth y tŷ. Y bore 'ma mi winciodd Trystan Jones arna i! Ia wincio! Winc secsi go iawn! Rôn i ar y coridor yn sefyll yn fflat yn erbyn y wal a Cadi Cwc yn taranu yn fy wyneb i. Roedd hi wedi cynhyrfu'n lân am nad ôn i wedi defnyddio Brillo ar ei phopty hi ar ddiwedd y wers ddydd Mawrth. A dweud y gwir, rôn i wedi 'i adael o am nad ôn i ddim isio bod yn hwyr i wers Parri bach eto. Wedi'r cwbwl, os ydi o'n dechrau bod yn glên efo fi am fod yn ferch i Mam, dydw i ddim isio difetha pethau.

Prun bynnag, mi gaeais i ddrws y popty'n reit dynn a gobeithio na fasai'r hen Cadi ddim yn sylwi bod grefi wedi rhedeg allan o'r *steak and kidney* a gwneud pwll brown tywyll ar y gwaelod. Ond mi sylwodd, mae'n rhaid, a phan welodd hi fi ar y coridor y bore 'ma mi gofiodd am y peth. Ac am bregeth ges i! Roedd hi wrthi'n ei dweud hi am "Arferion mochynnaidd" a "Baw'n achosi heintiau" – fel taswn i wedi gwneud rhywbeth gwaeth o lawer na gadael mymryn o refi ar ôl – pan welais i Trystan Jones yn mynd heibio'r tu ôl iddi hi. Ac mi winciodd arna i! Do wir! Roeddwn i yn y seithfed nef!

"Tynnwch y wên wirion 'na oddi ar eich wyneb, Delyth Davies," cyfarthodd Cadi Cwc. "Dydi grefi mewn popty ddim yn destun chwerthin!" Ond doedd dim ots gen i amdani hi. Roedd fy myd i yn wyn, beth bynnag am ei phopty hi!

Mi fentrais i ddweud yr hanes wrth Mam heno gan fod tymer arbennig o dda arni hi. Chwerthin wnaeth hi.

"Mae Catrin Morris yn braf iawn ei byd os nad oes gynni hi ddim ond grefi i'w phoeni hi," meddai hi. "Mae 'na ddigon o bobol yn y byd fasai'n falch o *gael* grefi i boeni amdano fo. Heb sôn am yr anifeiliaid druain sy'n cael eu lladd er mwyn iddi hi gael ei grefi . . ."

"O! dyma ni!" meddwn i wrthaf fy hun. Fel arfer pan mae Mam yn dechrau fel 'na mae hi wrthi am ryw hanner awr. Ond wnaeth hi ddim y tro yma. Mi stopiodd yn sydyn a throi ata i.

"Gwranda, 'nghariad i," meddai hi. "Paid ti â gwirioni dy ben ormod am yr hogyn 'na. Dydw i ddim isio iti gael dy frifo. Does 'na ddim un ohonyn nhw ei werth o,'sti." Ac mi ddeudodd hanes amdani hi ei hun yn gwirioni ar ryw fachgen pan oedd hi yn y pedwerydd dosbarth. Mi aeth o efo'i chwaer fawr hi yn y diwedd ac mi dorrodd hithau'i chalon.

Oedd, roedd Mam mewn tymer arbennig o dda heno. Mi gawson ni sgwrs hir. A dweud y gwir, rôn i'n meddwl mai blin fasai hi ar ôl cael yr amlen roddodd Parri bach imi'r pnawn 'ma.

"Rhyw bapurau roeddwn i wedi'u haddo i'ch mam," meddai fo. Mi edrychais i ar yr amlen ac mi fu bron imi gael ffit biws ond fedrwn i ddim gwrthod mynd â hi. Mrs Elfyn Davies oedd arni hi!

"Mi fydd Mam o'i cho!" meddwn i wrth Nerys. "Does 'na ddim byd yn ei gwylltio hi'n fwy na phobol yn ei galw hi wrth enw Dad. Beth wna i, dywed?"

"Rhoi'r amlen iddi hi, siŵr," meddai Nerys. "Nid arnat ti mae'r bai ac os bydd hi'n flin efo Parri bach, wel gorau oll. Dydi'r mwnci'n haeddu dim gwell!"

Wel, mi ddois i â'r amlen adre a'i rhoi hi i Mam. Ac mi chwarddodd!

"'Tydi o'n dynnwr coes!" meddai hi a rhoi'r amlen yn ei bag. Mae pobol mewn oed yn anodd eu deall!

Dydd Sadwrn, Mawrth 12

Waeth imi sgwennu dipyn yn y dyddiadur yma ddim. Mi helpith i basio'r amser. Rydw i wedi cael fy anfon i'r llofft yn gynnar heno. Wel, nid fy *anfon* yn hollol. Fydd Mam a Dad byth yn *dweud* wrtha i beth i'w wneud; *awgrymu* y byddan nhw bob amser.

"Dwyt ti ddim yn meddwl y basai'n syniad da iti fynd i fyny i ddarllen yn dy wely?" meddai Mam heno ar ôl inni'n tri dreulio awr yn edrych ar ffilm anhygoel o ddiflas ar BBC2. Yr ateb iawn i'r cwestiwn yna fasai,

"Nac ydw, dydw i ddim yn meddwl ei fod o'n syniad da. A dweud y gwir, rydw i'n meddwl ei fod o'n syniad uffernol o wael." Ond doedd 'na ddim pwynt creu trafferth. Waeth imi fod yn fy llofft ddim. Wedi'r cwbwl, does 'na ddim byd i'w wneud i lawr y grisiau chwaith. Ac rydw i'n amau 'u bod nhw'n fy ngyrru i o'r ffordd er mwyn cael yr hyn maen nhw'n ei alw'n 'sgwrs'. 'Ffrae' fasai fy ngair i am y peth. Ydyn, maen nhw wrthi rŵan. Rydw i'n clywed eu lleisiau nhw. O! mi leciwn i tasai Dylan gartre! Mae o'n medru gwneud imi chwerthin pan mae Mam a Dad yn ffraeo. Teimlo fel crio rydw i heno.

Rydw i wedi bod yn agos at grio drwy'r dydd. Mi ges i wybod y gwir am Trystan Jones heddiw. Dydi o ddim yn fy ngharu i o gwbwl. Mae gynno fo gariad arall a does arno fo mo fy isio fi. Dydi fy mywyd i ddim gwerth ei fyw. Pan ges i wybod mi fu bron imi â'm taflu fy hun o flaen bws dwbwl-decar oedd yn digwydd mynd heibio ar y pryd. Mi sgwenna i'r hanes o'r dechrau, rydw i'n meddwl. Os penderfyna i mai fy lladd fy hun ydi'r unig ddewis mi fydd miloedd o bobol – yr heddlu a phobol y papurau newydd a ballu – isio darllen y dyddiadur 'ma ac mae'n iawn iddyn nhw gael gwybod y cwbwl.

Mi aeth Nerys a finnau i'r dre y bore 'ma. Mi gawson ni lifft gan Mam oedd yn mynd i ryw bwyllgor neu rywbeth. Mae'n rhaid ei fod o'n bwyllgor pwysig achos roedd meddwl Mam ymhell, bell i ffwrdd yr holl ffordd i'r dre. Doedd hi ddim yn ateb pan ôn i'n siarad efo hi a wnaeth hi ddim cymryd sylw o gwbwl pan waeddodd rhyw ddyn, "Blydi merched!" ar ôl iddi hi droi i'r dde heb roi arwydd. Fel arfer mae dweud peth fel'na wrth Mam fel dangos cadach coch i darw!

"Mae dy fam yn edrych wedi blino," meddai Nerys ar ôl inni fynd i lawr yng nghanol y dre. "Oes 'na rywbeth yn ei phoeni hi, dywed?"

"Nac oes siŵr. Dim byd ond bomiau," meddwn innau. Mae Nerys yn lecio meddwl ei bod hi'n sensitif ac yn deall teimladau pobol ond doedd gen i fawr o amynedd. Mae 'na bethau gwell i'w gwneud ar fore Sadwrn na sefyll ar y stryd yn trafod teimladau Mam. Roedden ni'n dwy isio trowsusau newydd i fynd i'r disgo nos Sadwrn nesa. Dyna un peth da am Mam a Dad – maen nhw'n eitha hael efo fy mhres dillad i. Mi fedrwn i brynu rhywbeth newydd bob yn ail wythnos taswn i rywfaint haws. Beth ydi'r pwynt cael dillad del a finnau mor dew ac mor hyll?

"Dwyt ti ddim yn gwybod dy eni," meddai Nerys pan ddechreuais i gwyno wrth edrych trwy'r dillad yn un o'r siopau. "Hyd yn oed os wyt ti dipyn yn nobl, mi fedri di fforddio cael digon o ddillad del. Dydi tad pawb ddim yn bwysig yn y Cyngor Sir 'sti."

"Mae dy fam di'n ennill hefyd," meddwn innau. "Dydi Mam yn gwneud dim ond protestio a chymryd ambell i ddosbarth yn y Ganolfan."

"Athrawes ydi Mam," meddai Nerys yn ddigon siort. "Ac mi ddylet ti wybod nad ydi athrawon yn cael llawer o bres. Edrych ar ddillad Parri bach!" Ac mi ddechreuon ni'n dwy chwerthin wrth gofio am ei fol cwrw mawr o'n hongian dros y trowsus blêr.

"Hei!" meddai Nerys wedyn pan aethon ni i'r stafell newid fawr yng nghefn y siop i drio'r trowsusau. "Mi fasai'r hen Parri wrth ei fodd yn fan'ma!" Roedd 'na bump neu chwech o genod yn newid yn y stafell a lluniau'u cyrff nhw i'w gweld drosodd a throsodd yn y drychau mawr ar y waliau. "Fasai fo ddim yn gwybod lle i droi nesa!" meddai Nerys. Ac mi aethon ni'n dwy i ffitiau o chwerthin wrth feddwl amdano fo yn fanno a'i dafod yn hongian allan yn edrych ar y genod yn newid.

Roedden ni'n dal i chwerthin wrth drio'r trowsusau er fy mod i'n cael andros o drafferth i gau *zip* fy un i.

"Gorwedd ar dy gefn i'w wneud o," meddai rhyw lais y tu ôl i mi, a phwy oedd yno, yn edrych yn ffantastig mewn siwt hedfan oren ond Siwan Humphries, un o ferched y chweched dosbarth. Roedd 'na ddau neu dri o drowsusau yn hongian dros ei braich a phan aeth hi ati i'w trio nhw chafodd hi ddim mymryn o drafferth i gau'r *zip*. Ew! Roedd hi'n edrych yn grêt! Roedd hi'n union fel rhywun o *Dallas* neu *Dynasty* efo'i gwallt melyn hir yn sgleinio dan y golau. Fasai fy ngwallt i ddim yn edrych fel'na taswn i'n ei olchi fo bob dydd! Mae rhai pobol yn cael y lwc i gyd! Mae Siwan yn hogan ddigon clên hefyd – yn well na'r rhan fwya o ferched y chweched. Mi ofynnodd hi farn Nerys a finnau am y trowsusau ac mi wrandawodd hi arnon ni'n dweud mai'r un pinc tywyll oedd y gorau. Wedyn, mi helpodd hi ni'n dwy i ddewis ein trowsusau ni. Mi gymerodd Nerys un melyn am fod gynni hi grys i fynd efo fo ond mi brynais i grys newydd i fynd efo'r trowsus gwyrddlas ddewisais i. Mae'n rhaid imi ddweud fy mod i'n edrych yn eitha pisyn ynddyn nhw – roedd y crys yn hongian dros y trowsus ac yn cuddio'r ffaith bod y *zip* bron â byrstio.

"Mi fydda i'n iawn ond imi beidio â symud gormod," meddwn i wrth y genod.

"Chei di fawr o hwyl yn y disgo felly," meddai Nerys. Sôn am fod yn sensitif! Mae hi bob amser yn flin pan fydda i'n prynu dillad newydd.

Yn y diwedd mi benderfynais i wisgo'r dillad i fynd adre er mwyn iddyn nhw lacio dipyn. Fedrwn i ddim peidio â sbio arnaf fy hun yn y drych sydd wrth ddrws y siop. Roedd y dillad yn gwneud imi edrych yn hŷn – yn un ar bymtheg o leiaf. A phwy oedd yn sefyll ar y pafin y tu allan ond Trystan Jones! Ac mi chwibanodd! Chwiban hir o werthfawrogiad fel maen nhw'n dweud mewn cylchgronau. Fedrwn i ddim credu fy nghlustiau ac rôn i'n iawn hefyd, achos pan stopiais i i roi cyfle iddo fo ddweud rhywbeth, mi gerddodd Siwan Humphries heibio imi – yn syth ato fo. Mi roddodd o'i fraich amdani hi a sibrwd rhywbeth yn ei chlust hi ac i ffwrdd â nhw. Wnaeth o ddim cymaint â sbio arna i!

"Hidia befo fo," meddai Nerys. Mae'n rhaid ei bod hi'n difaru bod yn sbeitlyd efo fi. "Tyrd. Mae 'na gaffi gyferbyn â'r neuadd lle mae pwyllgor dy fam. Mi awn ni i fanno i aros amdani hi. Mi gawn ni deisen fawr bob un."

A dyna wnaethon ni. Rôn i hanner ffordd drwy'r deisen cyn imi gofio am y *zip*, ond pan gofiais i mi benderfynais i yn y fan a'r lle fy mod i am feddwl yn bositif am y sefyllfa.

"Wedi'r cwbwl," meddwn i wrth Nerys. "Mi fasai rhywbeth o'i le arno fo tasai gynno fo ddim cariad a dydi o ddim wedi cael cyfle i'm gwerthfawrogi i eto. Y peth gorau ydi imi gadw o'i ffordd o nes bydda i'n denau a mynd ati i ddal ei sylw fo wedyn. Mi addola i o o bell tan hynny."

Chafodd Nerys ddim cyfle i ymateb i hyn achos y munud hwnnw mi welson ni Parri bach yn dod allan o'r neuadd gyferbyn â ni. Roedd o wedi bod yn yr un pwyllgor â Mam, mae'n rhaid.

"Mae hwnna'n mynd yn rêl eithafwr," meddai Nerys.

"Mae'n siŵr ei fod o'n gobeithio cael cyfle i fynd i Greenham Common. Mi fasai wrth ei fodd yn fanno efo'r holl ferched!"

"Efallai'i fod o'n ysu am heddwch go iawn," meddwn i.

"Hy!" meddai hithau. "Dim ond am un peth mae hwnna'n ysu. Mae'r dyn yn secs maniac. Mae gynno fo flew yn ei drwyn. Mae hynna'n arwydd bob amser."

Mi driais i fy ngorau i gofio a oes gan Trystan Jones flew yn ei drwyn ond fedrwn i ddim. Mi ddaeth Mam wedyn i roi lifft adre inni. Roedd hi mewn tymer well o lawer erbyn hynny.

Dydi hi ddim mewn tymer dda rŵan chwaith. Rydw i'n ei chlywed hi'n gweiddi ar Dad. Mae o'n swnio'n flin ddychrynllyd hefyd. Fedra i ddim dioddef pan maen nhw'n cael 'sgwrs'. Mi leciwn i tasai Dylan yma i wneud imi chwerthin ac i ddweud wrtha i am beidio â phoeni ac na fydd dim rhaid imi fynd i gartre plant amddifad. Mi leciwn i tasai fo yma i siarad efo fi ac i wrando arna i. Fedra i ddim siarad am ffraeo Mam a Dad efo neb arall, ddim hyd yn oed efo Nerys. O! mi leciwn i tasai Dylan yma!

Dydd Sul, Mawrth 13

Rydw i wedi blino'n lân ac rydw i'n sgwennu hwn yn gynnes yn y gwely ar ôl cael bath braf. Dyna ddiwrnod cyntaf ymgyrch 'GWNEUD DELYTH YN DDEL' drosodd yn llwyddiannus. Doedd gen i fawr o amynedd pan godais i'r bore 'ma. Ches i ddim llawer o gwsg neithiwr rhwng torri fy nghalon am Trystan Jones a phoeni bod Mam a Dad yn ffraeo. A dweud y gwir, rôn i'n bwriadu dod yn ôl i'r gwely efo pentwr mawr o dôst a mêl a Mars neu ddau ond mi ddaeth Dad i mewn i'r gegin a'm dal i.

"Mi ddylet ti edrych ar dy ôl dy hun, Del fach," meddai fo. "Rwyt ti'n ddigon hen i ddechrau meddwl am bethau fel'na rŵan. Tyrd i nofio efo fi y bore 'ma."

Doedd dim byd yn apelio llai ata i ar y pryd na mynd i nofio. Yn un peth, beth tasai Trystan Jones yn fy ngweld i yno a finnau heb gael amser i deneuo eto? Ond, erbyn meddwl, go brin y basai fo yno mor gynnar ac yntau wedi bod allan efo Siwan Humphries neithiwr, mae'n siŵr. Y gnawes lwcus iddi hi! Mynd wnes i yn y diwedd.

"Nofio ydi un o'r ymarferion gorau i gael ffigwr da," meddwn i wrthaf fy hun, "a waeth imi ddechrau'r bore 'ma ddim." Roedd hi'n amlwg hefyd bod Dad yn fwy awyddus nag arfer i gael fy nghwmni fi ac mi ddylwn i fod wedi meddwl pam. Cyn gynted ag yr oedden ni yn y car mi ddeudodd o'i fod o isio 'sgwrs'. Fel 'na mae hi bob tro maen nhw'n ffraeo. Drannoeth mae'r ddau isio 'sgwrs' efo fi ond nid yr un math o 'sgwrs' â'r un maen nhw'n ei chael efo'i gilydd. Ystyr 'sgwrs' efo fi ydi nhw yn egluro beth ddigwyddodd ac yn rhoi eu hochor nhw o'r ffrae tra ydw i'n eistedd yn dweud dim. Fel'na roedd hi yn y car y bore 'ma efo Dad, ac yn y gegin y pnawn 'ma efo Mam. Rydw i'n meddwl eu bod nhw'n wirioneddol fwriadu trio bod yn glên efo'i gilydd. Roedd Mam wedi gwneud cinio erbyn i Dad a finnau ddod yn ôl o'r pwll nofio – pryd llysieuol oedd yn ein siwtio ni'n tri gan fod Dad yn poeni am fraster, Mam am anifeiliaid a finnau am galorïau. Wedyn, ar ôl cinio, mi aethon ni'n tri am jog a chael digon o hwyl wrth fynd er bod Mam a finnau wedi gorfod rhoi'r gorau iddi ac eistedd ar ben wal tra oedd Dad yn jogio i nôl y car. Rydw i'n teimlo'n stiff ac yn ffit braf heno. Pan ddaw'r haf mi fydda i cyn deneued â Siwan Humphries bob tamaid!

Dydd Mawrth, Mawrth 15

Ych-â-fi! Rydw i newydd daflu'r caws macaroni wnes i yn y wers goginio heddiw. Roedd o'r peth mwya afiach welais i 'rioed, y saws melyn, lympiog wedi ceulo a'r macaroni fel cnonod bach yn nofio ynddo fo. Does ryfedd bod golwg mor surbwch ar Cadi Cwc. Surbwch faswn innau taswn i'n gorfod edrych ar bethau fel'na drwy'r dydd. Wrth gwrs, fi oedd yr ola i orffen eto heddiw. Roedd y saws wedi glynu yn y sosban pan drois i fy nghefn arno fo i edrych trwy'r ffenest ar hogiau'r chweched dosbarth yn chwarae pêl-droed. Mi driais i stwffio'r sosban i ben draw'r cwpwrdd ond mae gan Cadi lygaid barcud. Mi neidiodd arna i'n syth ac mi safodd wrth fy mhen i a gwneud imi sgwrio pob mymryn o'r stwff melyn chwydlyd. Mi gynigiodd Nerys helpu – mae hi'n cael mwy o ymarfer sgwrio sosbenni gartre nag ydw i – ond mi anfonodd Cadi hi'n ôl i'r dosbarth.

"Mi fedr Delyth ddod ei hun," meddai hi efo'i hen wên gam. "Dydw i ddim yn meddwl yr eith *hi* hyd yn oed ar goll rhwng fan'ma a'r stafell Gymraeg." Y gnawes sbeitlyd! Mae hi'n pigo arna i'n dragwyddol.

Rôn i'n hwyr i wers Parri bach ond ddeudodd hwnnw ddim bw na be pan gerddais i i mewn, dim ond dal ati i falu awyr am ryw foi yn gwneud merch efo blodau.

"Sbia arno fo!" meddai Nerys dan ei gwynt pan eisteddais i wrth ei hochor hi. "Mae blew ei drwyn o'n ysgwyd. Mi fasai fo wrth ei fodd tasai fo'n medru gwneud hogan iddo fo'i hun!" Roedd hi'n iawn. *Roedd* blew ei drwyn o'n ysgwyd ac roedd o'n ysgwyd yn waeth byth pan alwodd o fi ato fo ar ddiwedd y wers. Doedd gen i ddim llai na'i ofn o.

"Ydi'ch Mam yn sâl, Delyth?" meddai fo yn hynod o glên. "Mi gollodd hi'r ddarlith neithiwr."

"Roedd hi'n helpu Dad i lanhau'r llofftydd," meddwn i wrtho fo a rhedeg ar ôl Nerys cyn i'r blew trwyn syrthio allan ar y ddesg.

Dydd Gwener, Mawrth 18

Rydw i wedi bod yn rhy brysur i sgwennu ers dyddiau. Mi fues i'n jogio dipyn bach bob dydd ac mi daerwn i bod *zip* y trowsus gwyrddlas yn cau yn rhwyddach erbyn hyn. Mi ofynnais i i Mam fy nysgu i i wneud ymarferion hefyd ac mi fuon ni'n dwy wrthi ar lawr y stafell fyw neithiwr. Heno ydi'r unig noson i Mam fynd allan yr wythnos yma ar wahân i nos Fawrth, noson y dosbarth dawns. Mi aeth Dad i chwarae badminton heno hefyd a thra oedd y ddau allan mi es i ati i olchi fy ngwallt er mwyn iddo fo sgleinio yn y disgo nos fory. Mi ges i dipyn o drafferth, a dweud y gwir. Rôn i wedi darllen yn rhywle bod wy yn beth da i roi sglein ar wallt ac mi benderfynais ei drio fo. Dôn i ddim yn siŵr a ddylwn i ei guro fo gynta ai peidio ond dyna wnes i ar ôl pendroni'n hir. Hen deimlad digon annifyr oedd rhwbio'r wy ar fy mhen ond mi faswn i'n dioddef unrhyw beth er mwyn cael gwallt fel Siwan Humphries. Wedyn, wrth gwrs, roedd yn rhaid golchi'r wy allan a dyna lle gwnes i gamgymeriad. Mi ddefnyddiais i ddŵr rhy boeth ac mi goginiodd yr wy yn stribedi melyn. Roedd yn rhaid imi ei grafu o i ffwrdd a golchi fy ngwallt ddegau o weithiau rhag imi edrych fel omlet. Mae sglein da ar y gwallt ar ôl yr holl olchi!

Mi fydda i'n cysgu yn nhŷ Nerys ar ôl y disgo nos fory gan fod Mam a Dad yn mynd allan i gael bwyd efo ffrindiau. O! rydw i'n edrych ymlaen at y disgo! Mae'r dillad newydd yn edrych yn grêt arna i ac, er na fydda i fyth mor siapus â Siwan Humphries, mae Nerys yn dweud bod 'na fwy o gymeriad yn fy wyneb i. Efallai y gwneith Trystan Jones sylwi ar hynny.

Dydd Sadwrn, Mawrth 19

Pwt bach sydyn cyn mynd i gysgu. Rydw i yn nhŷ Nerys ac wedi setlo yn y gwely o'r diwedd ar ôl andros o strach. Roedd ei brawd hyll hi, yr hen sinach Gareth, wedi rhoi celyn yn y gwely! Mae o flwyddyn yn hŷn na ni ond mae o'n ymddwyn fel babi blwydd. Mi dalwn ni'n ôl iddo fo rywsut hefyd. Wn i ddim sut – rydyn ni'n dwy wedi bod yn meddwl a meddwl – ond rydyn ni'n siŵr o'i gael o rywsut.

Roedd y disgo'n eitha da er bod Trystan Jones yn gwneud dim ond swsian efo Siwan Humphries. Rôn i'n teimlo'n reit ryfedd wrth edrych arnyn nhw fel tasai gen i lwmp mawr yn fy ngwddw a doedd y ffaith bod Gareth, brawd Nerys, a'i ffrindiau yn fy mhryfocio fi am y peth ddim yn help o gwbwl. Dydw i ddim yn anobeithio chwaith. Mi lwyddais i i sefyll wrth ymyl Trystan pan oedd Siwan wedi mynd i'r tŷ bach neu rywle ac mi sylwodd o arna i.

"Hei Miss Meringue! Mwynhau dy hun?" meddai fo. Roedd fy nghalon i bron â neidio allan o'm brest i ond ches i ddim cyfle i ateb. Mi ddaeth Siwan yn ôl ac mi drodd o ati hi. Mae'n amlwg nad oedd o ddim isio iddi hi ei weld o'n siarad efo fi. Rydw i'n siŵr ei fod o'n dechrau blino arni hi.

Dydd Sul, Mawrth 20

Mae Mam wedi dechrau arni eto. Rôn i'n meddwl yn ystod yr wythnos ddiwetha 'i bod hi wedi dysgu siarad am rywbeth heblaw anghyfiawnder a gormes a thrais a phethau felly. Ond mae rhywbeth glywodd hi neithiwr wedi 'i gwneud hi'n waeth nag erioed. Mae'n debyg bod ffrindiau i ffrindiau i ffrindiau y ffrindiau roedd Mam a Dad yn cael bwyd efo nhw neithiwr wedi mabwysiadu rhywun pymtheg oed oedd wedi bod mewn cartre plant ar hyd ei oes.

"Am syniad gwych!" meddai Mam. "Mi ddylen ni edrych ar ôl ein pobol ifanc. Nhw ydi'n dyfodol ni. Os cân nhw ddigon o gariad rŵan mi fydd y byd yn lle mwy diogel pan fyddan nhw'n llywodraethu." A mwy a mwy o'r math yna o rwtsh fel tasai Dad a finnau'n gynulleidfa o gannoedd a'r peiriant golchi'n gamera teledu. Fel arfer, pan mae hi wrthi fel'na mae Dad yn mynd allan am jog neu i'r stafell fyw i wneud *press-ups* ond heddiw mi arhosodd yn y gegin yn dweud, "Clywch, Clywch!" ac "Amen" bob hyn a hyn. Doedd o ddim yn *dweud* hynny go iawn, wrth gwrs, ond roedd hi'n amlwg ei fod o isio i Mam feddwl ei fod o'n cytuno efo hi. Mae'n rhaid bod y ffrae ddiwetha wedi bod yn un waeth nag arfer.

Dydd Mercher, Mawrth 23

Beth nesa? Mae Rhiannon Lewis a Judith Williams a rhai o genod eraill y dosbarth wedi dechrau dweud fy mod i'n ffefryn i Parri bach. A hynny dim ond am iddo fo roi llyfr imi ei roi i Mam.

"Gwatsia dy hun," meddai Judith. "Mae o'n beryg yn y gwanwyn." Ac mi chwarddodd y lleill i gyd. Rydw i'n meddwl mai tynnu coes, roedden nhw, a dweud y giwr, achos pan ges i dafod gan Hanna Meri am synfyfyrio a gadael i'r bêl fynd heibio imi yn y wers hoci, mi achubodd Rhiannon fy ngham i'n syth.

"Mewn cariad mae hi, Miss," meddai hi. "Fedr hi ddim canolbwyntio!" Ac mi winciodd yn ddigon clên arna i. Mi winciodd Nerys arna i hefyd. Roedd hi'n gwybod yn iawn mai wedi gweld Trystan Jones yn mynd am y cae pêl-droed oeddwn i!

Dydd Gwener, Mawrth 25

O'r arswyd! Wn i ddim beth i'w feddwl na beth i'w wneud. Mae Mam wedi cael andros o syniad dwl, y syniad mwya twp gafodd hi 'rioed ac mae hynny'n dweud tipyn. Mi welodd hi lun yn y *Guardian* – dydi hi byth yn sbio ar yr un papur arall, wrth gwrs – llun o ferch, tua'r un oed â fi oedd o, dan y pennawd, *"I want a family"*. Roedd 'na ddisgrifiad o'r ferch hefyd. Tracy ydi ei henw hi ac mae hi'n byw mewn cartre plant yn Llundain er pan oedd hi'n bump oed. Mae hi'n hoffi coginio a phob math o chwaraeon. Roedd hynny wedi apelio at Mam ond rydw i'n meddwl mai'r hyn ddaliodd ei sylw hi oedd brawddeg olaf yr hysbyseb, *"Tracy would prefer a Welsh-speaking family."*

"Dyma ni," meddai Mam ac roedd ei llygaid hi'n sgleinio a'i bochau hi'n binc."Dyma gyfle inni wneud rhywbeth yn lle siarad. Mae'n rhaid i Tracy ddod aton ni." Ddeudodd Dad ddim llawer. Mae o a minnau'n gwybod nad oes 'na ddim pwynt dadlau efo Mam pan mae ei llygaid hi'n sgleinio ond rôn i'n meddwl y basai fo wedi mynegi rhyw farn ar fater mor bwysig â hyn. Y cwbwl wnaeth o oedd mwmial rhywbeth am "amser i feddwl am y peth" a mynd allan i jogio heb newid i'w drowsus bach na dim. Roedd hynny'n dangos ei fod o wedi cynhyrfu.

Doeddwn innau ddim yn gwybod beth i'w ddweud ond mi es i trwodd i ffonio Nerys gan adael Mam yn pregethu wrth y dodrefn yn y gegin.

"Wn i ddim pam mae hi isio teulu Cymraeg," meddwn i ar ôl dweud yr hanes. "Mae'n rhaid mai Cymraes oddi cartre ydi hi."

"Cymraes isio cartre ydi hi, stiwpid," meddai Nerys ond dôn i ddim mewn tymer i wrando jôcs, yn enwedig rhai sâl. "Hidia befo," meddai Nerys wedyn. "Mi fasai cael chwaer o Lundain yn well na chael brawd fel Gareth. Mi ffeiriwn i efo chdi unrhyw ddiwrnod!"

Dydd Sul, Mawrth 27

O boi, am benwythnos! Mae Mam wedi siarad a thrafod a thrafod a siarad nes bod ei thafod hi'n sych grimp, rydw i'n siŵr. Mae fy mhen innau'n troi fel chwyrligwgan. Yr unig beth da i ddod allan o'r holl fusnes oedd i Dylan ddod adre neithiwr. Mi gododd

Mam bore ddoe a chyhoeddi bod yn rhaid penderfynu'n sydyn neu mi fasai Tracy wedi mynd at rywun arall.

"Mi ddylen ni gael pleidlais," meddai hi. "Mae hwn yn fater pwysig iawn ac mi fydd o'n effeithio arnon ni i gyd. Mi ffonia i Dylan i ddod adre."

Mi gyrhaeddodd Dylan yn hwyr neithiwr, yn flin iawn am ei fod o'n colli rhyw barti. Ew! Rôn i'n falch o'i weld o! Dôn i ddim wedi medru gwneud dim drwy'r dydd ond troi'r peth yn fy meddwl. Rôn i'n medru gweld y ddwy ochor, dyna oedd y drwg. Rôn i'n derbyn dadleuon Mam i gyd. *Mae* gynnon ni ddigon o bres. *Mae* gynnon ni ddigon o le. Mi *ddylen* ni rannu efo rhywun llai ffodus. *Rydw* i'n unig weithiau ac mi *fasai'n* braf cael cwmni ambell waith. Ond go dratia, nid drwy'r amser! Rydw i'n lecio cael fy llofft fy hun a'm pethau fy hun. Ac rydw i'n lecio cael fy mhlesio fy hun hefyd a gwneud beth rydw i isio ei wneud.

"Does arna i mo'i hisio hi," meddwn i wrth Dylan pan ddaeth o i'm llofft i i ddweud "Nos da". "Rydw i wedi arfer efo pethau fel maen nhw. Rydw i am bleidleisio yn erbyn beth bynnag sydd gan Mam i'w ddweud."

"O.K., Hipo, mi wna innau'r un fath," meddai Dylan a rhoi sws fawr imi. Chwarae teg iddo fo am fy nghefnogi fi. Wrth gwrs, wneith hi fawr o wahaniaeth iddo fo os daw'r hogan ai peidio ac roedd o'n flin iawn efo Mam am ei alw fo adre ar fyr rybudd. Rydw i'n meddwl mai dyna pam mae o am bleidleisio yn erbyn. Fasai fo byth yn gwneud er fy mwyn i.

"Dos i gysgu rŵan," meddai fo wrth fynd allan, "a phaid â phoeni. Rydyn ni'n dau yn erbyn, mae Mam o blaid ac mae Dad yn siŵr o ymatal. Mi gariwn ni'r dydd, mi gei di weld!"

Ond nid felly y bu hi. Mi lusgodd Mam ni o'r gwely'n anhygoel o gynnar er mwyn inni gael pleidleisio cyn i Dad fynd i nofio. Wn i ddim a fu hi'n gwrando y tu allan i ddrws fy llofft i neithiwr ond y peth cynta ddeudodd hi oedd,

"Reit. Pleidlais yr un i'r oedolion a hanner pleidlais i blant. A phlentyn wyt ti yn y tŷ yma," meddai hi wrth Dylan cyn iddo fo gael cyfle i agor ei geg.

Roedd hi wedi'n trechu ni. Pleidlais gyfartal, un i un, oedd y bleidlais gynta ond mi gafodd Dad andros o dafod gan Mam am ymatal. "Ymwrthod â chyfrifoldeb" oedd o, meddai hi. Mi bleidleision ni am yr ail waith a'r tro hwnnw mi fwriodd Dad ei bleidlais efo Mam. Mi ddaeth o i chwilio amdana i ar ôl i Dylan fynd er mwyn egluro pam.

"Mae dy fam angen rhywbeth i lenwi ei bywyd," meddai fo. "Dydi dawnsio a bomiau ddim yn ddigon i'w chadw hi'n hapus. Mi fydd yn lles i ti gael cwmni hefyd."

Ond dydw i ddim isio cwmni. Dydw i ddim isio rhannu fy nghartre a'm bywyd efo rhyw hogan ddieithr o Lundain. Does wybod yn y byd sut un fydd hi. Efallai y bydd hi'n smocio neu'n rhedeg ar ôl hogiau. Efallai y bydd hi'n sniffian glud. O'r arswyd, efallai y bydd hi ar gyffuriau! Mae'n ddigon hawdd i Mam a Dad. Dydyn nhw byth adre beth bynnag. Fi fydd yn gorfod dal pen rheswm efo'r hogan a chadw cwmni iddi hi. Ac rydw i'n hapus fel rydw i neu, o leiaf, mi faswn i'n hapus tasai Trystan Jones yn fy ngharu fi.

Dydd Llun, Mawrth 28

Rydw i'n methu'n lân â stopio meddwl am y peth. Wnes i ddim cysgu winc neithiwr ac erbyn y bore 'ma roedd gen i gleisiau mawr o dan fy llygaid. Roedd gen i ofn am fy mywyd i Trystan Jones ddigwydd fy ngweld i ar y coridor a'r ffasiwn olwg arna i ond mi ddeudodd Nerys wrtha i am beidio â phoeni.

"Mae'r cleisiau 'na'n gwneud iti edrych yn ddiddorol," meddai hi, "fel tasai rhywbeth trasig wedi digwydd iti."

"Mynd i ddigwydd imi mae'r peth trasig," meddwn innau, ond doedd Nerys ddim yn meddwl bod gen i le i boeni am Tracy chwaith.

"Yli," meddai hi, "waeth iti wynebu'r gwir. Fasai neb yn *dewis* anfon plentyn at eich teulu chi. Mae'r gweithwyr cymdeithasol 'ma'n ofalus iawn, cofia. Maen nhw'n dod i edrych ar y tŷ a ballu cyn gadael i bobol fabwysiadu rhywun."

Dôn i ddim yn siŵr fy mod i'n ei deall hi. "Mae'n tŷ ni'n iawn," meddwn i'n ddigon siort.

"O mae'r *tŷ* yn grêt," meddai hithau, "ond dydi dy fam a dy dad byth ynddo fo, meddet ti. Wel, wnân nhw ddim gadael i hogan sydd isio cariad teulu ddod i le fel'na, na wnân?"

Efallai bod gynni hi bwynt. Gobeithio bod gynni hi un. Gobeithio bod 'na ugeinia o bobol ffeind yn darllen y *Guardian* ac y bydd Tracy wedi mynd at rywun arall cyn i lythyr Mam gyrraedd. Does arna i mo'i hisio hi'n fan'ma beth bynnag.

Dydd Mawrth, Mawrth 29

Rydw i ar fy mhen fy hun eto heno. Mae hi'n noson wyntog oer ac mae pob math o bethau'n gwichian yn yr hen dŷ 'ma. Rôn i'n siŵr gynnau fy mod i'n clywed rhywun yn cerdded o gwmpas i lawr y grisiau. Mi es i lawr a sefyll yng nghanol y cyntedd a gweiddi, "Oes 'na rywun yna?" dros y tŷ. Ond atebodd neb. Wedyn, mi agorais i ddrws pob stafell yn gyflym ac edrych i mewn. Roedd y lle'n hollol wag, wrth gwrs, ond rydw i wedi cloi'r drysau i wneud yn siŵr. Yn y Ganolfan Hamdden mae Mam a Dad – hi'n cymryd ei dosbarth dawns ac yntau'n chwarae badminton. Roedd 'na dipyn o 'sgwrs' wedi bod cyn iddyn nhw gychwyn, rydw i'n meddwl. Roedd y ddau'n cerdded rownd ei gilydd yn ofalus ac yn anfon negeseuon trwydda i.

"Deuda wrth dy dad bod ei le moel o'n dangos."

"Deuda wrth dy fam bod gynni hi farc du ar ei thrwyn."

A phetha gwirion fel'na. Maen nhw fel plant bach weithiau.

O! mi leciwn i taswn i'n medru dweud wrthyn nhw sut rydw i'n teimlo. Fedra i ddim cael y busnes Tracy 'ma o'm meddwl. Beth taswn i ddim yn medru gwneud efo hi? Beth tasai hi ddim yn fy lecio i? Beth tasai gynnon ni ddiddordebau hollol wahanol? Mae gen i hiraeth am Dylan. Mi fedra i ddweud hynny yn y dyddiadur 'ma er na faswn i ddim isio i neb arall wybod. Mae o'n fy mhryfocio i o hyd a dydi o ddim yn lecio gwneud yr un pethau â fi ond rydw i wedi arfer efo fo rywsut. Mae hi'n rhyfedd yma hebddo fo a dydw i ddim yn gweld sut fedr yr hogan 'ma gymryd ei le fo chwaith. Hogan ddieithr fydd hi. Fedr hi byth fod yn chwaer imi.

Mae'n rhaid imi drio stopio poeni. Fel mae Nerys yn dweud, efallai na ddigwyddith o byth ac mae gofid meddwl fel hyn yn siŵr o'm gwneud i'n hyll ac wedyn fydd gen i ddim siawns o gwbwl efo Trystan Jones. Anghofio am y peth ydi'r gorau. Rydw i'n siŵr na cheith Mam ddim ateb i'w llythyr, ddim am wythnosau ac wythnosau, beth bynnag.

Dydd Mercher, Mawrth 30

Mae rhywbeth anhygoel o ffantastig o berffaith wedi digwydd! Mae Trystan Jones wedi fy newis i – fi, Delyth Haf Davies, yr hogan fwya lwcus yn y byd – i'w helpu o. Mi ddaeth o ata i ar y cae hoci y pnawn 'ma. Rôn i'n pwyso ar fy ffon ar ochor y cae yn synfyfyrio am fy mhroblemau ac yn rhyw hanner gwylio Nerys a'r lleill oedd yn gwibio o gwmpas fel pethau gwirion, pan glywais i lais y tu ôl imi.

"Hei, Miss Meringue! Delyth ydi dy enw di, yntê?" Mi drois i edrych a dyna lle'r oedd *o* yn gwenu arna i. Ac roedd o'n gwisgo trowsus bach! Rôn i'n teimlo iasau oer yn cerdded i fyny ac i lawr fy nghefn i ac mi aeth fy mhengliniau i i grynu fel jeli. Ymhen hir a hwyr, mi lwyddais i lyncu fy mhoeri a'i ateb o.

"Ia," meddwn i ac mi fedrwn i fy nghicio fy hun am fethu meddwl am ateb gwell.

"Gwranda," meddai fo ac mi blygais i mor agos ag y meiddiwn i i wrando. Rôn i isio dweud, "Llefara, f'anwylyd, mae dy gaethferch yn barod," ond y cwbwl ddaeth allan oedd, "Ia" eto.

"Rydw i isio help," meddai fo. "Rydw i'n trefnu bws i

fynd i'r disgo yn y dre nos Wener. Rydw i wedi gofyn i'r chweched a'r pumed ond mae o'n hanner gwag o hyd. Fedri di hel enwau pobol o'r pedwerydd? Pum deg ceiniog. Cychwyn hanner awr wedi saith o giât yr ysgol, 'nôl tua hanner nos. Iawn?"

"Iawn," meddwn innau pan ges i fy ngwynt ataf ac mae'n rhaid bod golwg hollol dwp ar fy wyneb i achos mi aeth o drwy'r trefniadau i gyd wedyn cyn cerdded yn ei flaen am y cae pêl-droed. Erbyn hynny, roedd Nerys a Rhiannon a rhai o'r genod eraill yn rhyw loetran o gwmpas i gael gwybod beth oedd yn digwydd er bod Hanna Meri'n gweiddi'n wyllt arnyn nhw o ben draw'r cae. Roedd pawb yn awyddus i ddod i'r disgo ac yn gobeithio y basai eu rhieni nhw'n fodlon. Mi lwyddais i i ofyn i Mam pan ruthrodd hi adre i nôl brechdan menyn cnau rhwng hel pres ar y stryd a mynd i ganfasio. Wn i ddim lle mae Dad heno. Dydi o ddim wedi bod gartre o gwbwl. Ond roedd Mam yn fodlon ac mi ddeudodd Nerys ar y ffôn ei bod hi wedi cael caniatâd hefyd. Mi a' i ati i hel rhestr enwau yn syth bore fory ac amser cinio mi fydd yn rhaid imi fynd â hi at Trystan Jones. Efallai y gofynnith o imi eistedd efo fo ar y bws er mwyn siecio'r pres a phethau felly!

O! rydw i'n teimlo'n hapus braf heno ac yn difaru imi fod mor wirion â phoeni cymaint drwy'r wythnos. Rydw i'n siŵr na ddaw 'na ddim byd o'r busnes mabwysiadu 'ma. Wna i ddim meddwl amdano fo eto o gwbwl.

Dydd Iau, Mawrth 31

Ar frys. Mae'n rhaid imi gael noson gynnar er mwyn bod ar fy ngorau nos fory. Mi fydd yn rhaid imi wisgo'r dillad gwyrddlas eto ond maen nhw'n ffitio'n well erbyn hyn. Dyna un peth o blaid yr holl boeni 'ma – rydw i'n siŵr fy mod i wedi colli pwysau.

Mi ges i ddeg enw ac mi es i â'r rhestr at Trystan Jones amser cinio. Roedd Nerys mewn ymarfer hoci ac rôn i'n teimlo braidd yn swil i fynd fy hun ond roedd o'n anhygoel o glên. Mi ddiolchodd imi ac mi ofynnodd imi gadw'r rhestr a hel y pres ar y bws. Mae o'n siŵr o eistedd efo fi!

Dydd Gwener, Ebrill 1

Sgwennu hwn cyn mynd i gysgu. Noson ffantastig! Mae bywyd yn grêt! Roedd y disgo'n ffantastig! Ar y ffordd yno, mi gasglais i bres y bobol oedd ar fy rhestr i ac wedyn mi ddaeth Trystan Jones i eistedd wrth fy ochor i! Rôn i'n teimlo fel hongian drwy'r ffenest a gweiddi ar bobol, "Dewch i weld efo pwy rydw i!" Rôn i'n gwybod bod y genod eraill i gyd yn trio gweld beth oedd yn digwydd ac rôn i bron â byrstio o falchder. Yn anffodus, dydi'r dre ddim yn bell iawn o'n pentre ni ac mi gyrhaeddon ni'r disgo cyn i Trystan a finnau orffen cyfri'r pres. Rydw i'n siŵr y basai fo wedi gafael amdana i o leia tasai fo wedi cael amser. Mi brynodd o Coke imi yn y bar ar ôl inni fynd i mewn ac, er bod ei fraich o am ysgwyddau Siwan Humphries ar y pryd, rôn i'n medru dweud ar ei lygaid o y basai'n well gynno fo fod efo fi. Mi gollais i olwg arno fo wedyn. Nerys lusgodd fi o'r bar, a dweud y gwir.

"Paid â gwneud llygaid gwirion arno fo. Rwyt ti'n edrych yn rêl llo!" meddai hi a gwneud imi fynd efo hi at Rhiannon a Judith a'r lleill. Dawnsio efo'n gilydd fuon ni wedyn drwy'r nos. Tua hanner ffordd drwodd mi ddaeth Gareth, brawd Nerys, a'i ffrindiau aton ni. Roedden nhw'n ymddwyn fel babis yn gwthio'i gilydd ymlaen ac yn giglo fel ffyliaid. Yn y diwedd, mi ddaeth un ohonyn nhw ata i.

"Mae Gareth isio dawnsio efo chdi," meddai fo ac wedyn gwneud sŵn fel jac-do a rhedeg yn ôl at ei ffrindiau. Ych-â-fi! Faswn i ddim yn dawnsio efo'r Gareth 'na taswn i'n cael trip i'r lleuad am wneud!

Bob hyn a hyn, rôn i'n cael cip ar Trystan Jones ac ar y dechrau roedd o efo Siwan Humphries bob tro. Ond rywbryd tua diwedd y noson mi sylwais i ei fod o ar ei ben ei hun a'i bod hi wedi mynd at griw o genod.

"Maen nhw wedi ffraeo, mae'n rhaid," meddwn i wrth Nerys. "Rydw i am fynd i siarad efo fo. Mae o'n edrych yn unig."

"Paid â bod yn hurt," meddai Nerys a chydio yn fy mraich i'n dynn. "Rwyt ti wedi rhedeg marathon ar ei ôl o'n barod. Os ydi o isio siarad efo chdi, mi ddaw o yma."

Ddaeth o ddim ata i ond aeth o ddim at Siwan chwaith. Ac efo'r hogiau roedd o ar y bws ar y ffordd adre. Mae'n rhaid ei fod o wedi gorffen efo Siwan. Neu efallai ei bod hi wedi gorffen efo fo am ei fod o'n rhoi cymaint o sylw i mi. Rydw i'n gwybod ei fod o'n fy lecio i. Tasai fo ddim yn fy lecio i fasai fo ddim wedi fy achub i rhag yr hen lembo hyll, Gareth. Mi gafodd hwnnw ei wthio at fy ochor i ar y bws gan rai o'i ffrindiau ac mi drodd Trystan rownd a dweud,

"Gadewch lonydd i'r hogan, wir!"

"Fasai fo ddim wedi dweud hynny tasai fo ddim yn fy lecio i," meddwn i wrth Nerys.

"Rydw i'n *lecio*'r gath," meddai hi. Wn i ddim beth roedd hi'n ei feddwl wrth hynny.

Dydd Sadwrn, Ebrill 2

Mi anghofiais i ddweud neithiwr ein bod ni wedi bwriadu chwarae tric Ffŵl Ebrill ar Parri bach bore ddoe. Mi ddaeth Judith â llun o un o'r cylchgronau y mae ei thad hi'n eu cuddio yn sied yr ardd – llun ych-â-fi o ryw hogan dewach na fi hyd yn oed. Roedden ni am ei roi o ar y ddesg er mwyn gweld blew trwyn yr hen Parri'n ysgwyd ond pan ddaeth yr amser doedd gan yr un ohonon ni ddigon o wyneb. Biti!

Mi ges i ddiwrnod grêt heddiw. A dweud y gwir, rydw i'n meddwl y bydd pob diwrnod yn grêt o hyn ymlaen. Sut medran nhw beidio â bod yn grêt a Trystan yn fy lecio i?

Y bore 'ma, mi aeth Nerys a finnau i'r dre efo Mam eto. Roedd hi'n mynd i bwyllgor ac roedden ni'n dwy am fynd i edrych ar ddillad. Er fy mod i yn y seithfed nef, fedrwn i ddim llai na sylwi bod yr awyrgylch yn y car yn annifyr iawn. Roedd Mam a Nerys mor flin â'i gilydd. Dydi bod yn flin ddim yn beth dieithr yn hanes Mam, wrth gwrs. Mae hi'n flin yn aml, yn enwedig pan mae hi a Dad wedi ffraeo. Os ydi hi'n disgwyl i Rwsia ac America fod yn ffrindiau, mi ddylai roi esiampl well iddyn nhw!

Ond dydi Nerys ddim yn arfer bod yn flin ac yn ddistaw. Mae gynni hi ddigon i'w ddweud fel arfer ac mae hi'n medru gwneud imi chwerthin hyd yn oed pan ydw i'n teimlo'n ddigalon. Wn i ddim beth oedd yn bod arni hi'r bore 'ma. Mi aethon ni i un o'r siopau mawr i drio dillad er nad oedden ni ddim yn bwriadu prynu.

Doedd gan Nerys ddim amynedd o gwbwl a wnaeth hi ddim fy llongyfarch i er ei bod hi'n amlwg fy mod i wedi colli pwysau. Dim ond rhyw hanner gwenu wnaeth hi pan ddaeth Hanna Meri i mewn i'r stafell newid i drio siwt hedfan wen. Mae Nerys yn meddwl y byd o Hanna Meri ac mae'n debyg bod honno'n ddigon clên efo'r genod sy'n dda am chwarae hoci. Does gynni hi a fi fawr i'w ddweud wrth ein gilydd! Mae'n rhaid imi gyfaddef ei bod hi'n edrych yn andros o ddel yn y siwt hedfan. Mae gynni hi ffigwr ffantastig ac mae'n siŵr nad ydi hi ddim yn hen iawn – dim ond rhyw bump ar hugain.

Ar ôl gadael y siop ddillad, mi aeth Nerys a finnau i'r caffi i aros am Mam. Doedd dim sgwrs i'w gael gan Nerys a fedrwn i ddim ei chael hi i wenu hyd yn oed pan welson ni Parri bach yn dod allan o'r pwyllgor. Roedd o wedi cael siwmper newydd o rywle – un streips gwahanol liwiau. Roedd o'n edrych fel llun mewn llyfr i blant bach! Mi ddaeth Mam allan yr un pryd â fo ac mi fuon nhw'n sgwrsio am dipyn ar y pafin cyn i Mam alw arnon ni i fynd i'r car. Roedd gwell hwyliau arni hi erbyn hynny ond ddeudodd Nerys fawr yr holl ffordd adre. Wn i ddim beth sy'n bod arni hi. Efallai ei bod hi'n sâl.

Dydd Mawrth, Ebrill 5

Mi fu'n rhaid imi ofyn i Nerys heddiw. Fedrwn i ddim dioddef mwy. Roedd hi mor surbwch drwy'r dydd ddoe ac roedd hi'n gwneud imi deimlo'n ddigalon er bod Trystan Jones wedi gwenu arna i ar y coridor.

"Yli," meddwn i wrthi hi, "beth sy'n bod? Wyt ti wedi cael dy ddal yn dwyn o Woolworths neu rywbeth?" Fasai Nerys byth yn dwyn, wrth gwrs, ond dôn i ddim isio swnio'n rhy sentimental. Rôn i'n trio cadw'r peth ar lefel ysgafn, taswn i rywfaint haws. Mi sbiodd hi arna i a dechrau crio. Roedden ni'n dwy wrthi'n rowlio *pastry* yn stafell Cadi Cwc ar y pryd a chan fod dwylo Nerys yn flawd i gyd roedd 'na goblyn o olwg arni hi ar ôl iddi rwbio'i llygaid. Prun bynnag, mi ges i'r stori yn y diwedd.

"Mae Dad wedi clywed y byddan nhw'n torri i lawr yn y ffatri cyn bo hir ac efallai y bydd o'n colli'i waith," meddai hi gan sniffian wrth siarad. "Mi fyddwn ni'n ofnadwy o dlawd wedyn."

"Paid â siarad lol!" meddwn innau. "Does 'na neb yn dlawd yn y wlad yma. Sbia ar Affrica!" Dydw i ddim yn ferch i Mam heb ddysgu rhywbeth, ond wnaeth y bregeth yna fawr o argraff ar Nerys ac felly mi driais i dacteg arall.

"Ella na ddigwyddith o ddim," meddwn i'n ffyddiog. "Mi ddeudaist ti wrtha i mai peth gwirion ydi poeni am bethau sydd heb ddigwydd. Dyna rwyt ti'n ei wneud dy hun rŵan."

Mi gododd ei chalon dipyn wedyn ond roedd gen i biti ofnadwy drosti. I wneud pethau'n waeth, mi sylwodd Cadi Cwc arnon ni'n siarad ac mi ddaeth fel mellten ar draws y stafell i holi hanes y *pastry*. Doedden ni ddim yn agos at orffen, wrth gwrs, ac mi gawson ni andros o dafod. Mi fu'r hen Cadi yn agos i gael *rolling pin* rhwng ei dannedd. Mae hi'n lwcus iawn, iawn fy mod i'n ferch i heddychwraig!

Dydd Gwener, Ebrill 8

Mi fues i'n cael swper yn nhŷ Nerys heno. Doedd gen i fawr o awydd mynd, a dweud y gwir. Rôn i'n meddwl y basai pawb yn eistedd o gwmpas yn sniffian crio fel tasen nhw mewn cynhebrwng. Mae'n wir bod Nerys yn well o lawer ers i mi roi pregeth iddi hi ddydd Mawrth ac roedd hi bron fel hi ei hun ddoe a heddiw ond rôn i'n siŵr y basai'r busnes wedi dweud yn ofnadwy ar ei rhieni hi. Ond doedd dim rhaid imi boeni.

"Ella na ddigwyddith o ddim," meddai mam Nerys pan oedden ni'n tair yn golchi'r llestri ar ôl swper. Fi oedd wedi codi'r pwnc a dôn i ddim yn teimlo'n annifyr o gwbwl. Mae'n andros o hawdd siarad efo mam Nerys. "Ella na ddigwyddith o ddim," meddai hi, "ac os digwyddith o mi wynebwn ni'r peth bryd hynny. Efo'n gilydd!" Ac mi roddodd ei braich am ysgwyddau Nerys a'i gwasgu'n dynn. Wedyn – am fod golwg eiddigeddus arna i, mae'n siŵr – mi roddodd ei braich arall amdana i a'm gwasgu innau hefyd. O! roedd o'n deimlad braf, er bod y sebon golchi llestri ar ei llaw hi yn gwlychu fy siwmper i. Dynes neis ofnadwy ydi mam Nerys a dydw i ddim yn meddwl bod gan Nerys le i boeni am waith ei thad. Mae'n amlwg ei bod hi wedi gwneud môr a mynydd o bethau.

Dydd Sadwrn, Ebrill 9

Mi fuon ni yn y dre eto heddiw. Mi ofynnodd Mam inni fynd i ddosbarthu pamffledi yn y rali fawr yr oedd hi wedi'i threfnu. Roedden nhw'n cerdded ar hyd y stryd fawr yn cario baneri ac yn gweiddi, 'DYSG NID DISTRYW!' o bob dim dan haul!

"*Mae* dysg yn ddistryw," meddai Nerys. "Mi fasai bom neu ddwy'n gwneud byd o les i'n hysgol ni." Mae'n amlwg ei bod hi wedi dod ati'i hun yn iawn!

Roedd 'na gannoedd o bobol yno, meddai Mam pan gafodd hi ei holi ar y radio wedyn, ond wyth deg saith gyfrais i. Roedd Parri bach yno, wrth gwrs, yn ei siwmper enfys. Roedd o, fel Mam, yn rhedeg yn ôl ac ymlaen yn dweud wrth bobol beth i'w wneud. Mae'n siŵr ei fod yntau wedi bod allan bob nos yr wythnos yma'n trefnu'r peth. Roedd Hanna Meri yno hefyd ac, wrth gwrs, mi gymerodd hi bamffledyn gan Nerys er fy mod i'n sefyll yn nes ati hi. Roedd hi'n edrych yn ffantastig heddiw mewn trowsus melyn tyn, tyn.

"Mae hi'n edrych fel banana! Rhaid iddi wylio rhag i Parri bach drio'i phlicio hi," meddai Judith oedd yn sefyll ar gornel y stryd efo Rhiannon yn gwylio'r orymdaith. Mi chwarddon ni i gyd dros y lle am hynna ond, wir, cyn belled ag y medrwn i weld, roedd Parri bach yn rhy brysur yn helpu Mam i fedru sbio ar neb arall.

Dydd Mawrth, Ebrill 12

Mae'n rhaid bod Trystan Jones yn sâl. Welais i mono fo ddoe na heddiw. Gobeithio y bydd o'n gwella'n sydyn!

Dydd Mercher, Ebrill 13

Mae o'n sâl. Mi gawson ni wybod y pnawn 'ma drwy Gareth, brawd Nerys, sydd yn y tîm pêl-droed. Roedd hwnnw wrth ei fodd yn cael dweud. Mae'n debyg bod Trystan a chriw o'i ffrindiau wedi mynd ar gwrs canŵio dros y Sul. Mi syrthiodd Trystan i'r afon ac mae o wedi dal andros o annwyd. Tybed ddylwn i fynd i'w weld o a mynd ag anrheg bach iddo fo? Efallai y dylwn i gynnig ei nyrsio fo. Fasai ddim gwahaniaeth gen i beryglu fy iechyd fy hun er ei fwyn *o*.

"Beth sy haru ti'r clown?" meddai Nerys pan grybwyllais i hynny wrthi hi. "Annwyd sydd arno fo, nid AIDS!"

Dydd Gwener, Ebrill 15

Wn i ddim beth i'w wneud! Mae fy myd i'n deilchion! Mae Mam a Dad yn ffraeo bob munud. Mae Trystan Jones yn sâl ac, i goroni popeth, mae'r hoganTracy 'na'n dod aton ni i fyw. Wel, dydi hynny ddim yn hollol sicr eto ond y bore 'ma mi gafodd Mam lythyr o Lundain yn dweud bod ei chais hi'n edrych yn addawol iawn ac yn gofyn iddi hi a Dad fynd yno ddydd Llun i drafod y mater. Dim sôn amdana i, wrth gwrs. Pan agorodd Mam y llythyr mi waeddodd hi dros y tŷ. Roedd Dad yn y stafell molchi ar y pryd yn garglo am tua'r pumed gwaith – mae o'n meddwl ei bod hi'n bwysig iawn cael oglau da ar ei wynt! Pan waeddodd Mam mi dagodd a cholli'r stwff garglo ar ei grys glân. Roedd yn rhaid iddo fo newid wedyn ac erbyn iddo fo ddod i lawr y grisiau roedd tymer ofnadwy arno fo.

"Rydw i'n hwyr," meddai fo wrth Mam gan lowcio'i All Bran yn y modd mwya sglyfaethus. Mi gawn ni drafod y peth heno."

"Mi fydda i allan heno," meddai hithau.

"Byddi mwn! Mae dy Gymraeg di'n gwella o ddydd i ddydd!" Ac mi ruthrodd allan am y car. Wn i ddim beth roedd o'n ei feddwl. Does 'na ddim byd o'i le ar Gymraeg Mam.

Wel, ar ôl iddo fo fynd mi roddodd Mam y llythyr i mi

i'w ddarllen. Roedd o'n dweud bod y Tracy 'ma wedi cael bywyd digon annifyr. Merch i deulu Cymraeg oedd yn cadw siop yn Llundain oedd ei mam hi ond does neb yn siŵr iawn pwy oedd ei thad hi. Pan oedd Tracy yn ddwy oed mi briododd ei mam hi a mynd i fyw i ryw ddinas arall gan adael y ferch fach efo'i nain. Yn ôl pob sôn roedd Tracy yn hapus iawn yno ond pan oedd hi'n bump mi fu'r nain farw. Erbyn hynny roedd gan y fam fabi arall a doedd hi a'i gŵr ddim isio Tracy, felly roedd yn rhaid iddi hi fynd i gartre plant amddifad. Trwy lwc roedd 'na Gymraes yn gweithio yn y cartre ac roedd hynny'n help mawr i Tracy setlo yno gan mai Cymraeg roedd hi'n siarad efo'i nain bob amser. Ers blwyddyn rŵan mae'r Gymraes wedi ymddeol ac mae Tracy'n anhapus iawn. Mi fasai hi wrth ei bodd yn cael dod i fyw at deulu Cymraeg.

Rôn i'n teimlo'n ofnadwy ar ôl darllen y llythyr. Doedd 'na ddim amser y bore 'ma i drafod y peth yn iawn ond mi fues i'n meddwl amdano fo drwy'r dydd. Tracy druan! Mae hi wedi cael amser ofnadwy. Mi benderfynais i y baswn i'n dweud wrth Mam amser te y baswn i'n trio fy ngorau i'w helpu hi.

Ond erbyn imi gyrraedd adre roedd popeth wedi'i setlo fwy neu lai. Roedd Dad wedi dod adre o'r swyddfa'n gynnar – mae o'n gwneud hynny'n aml ar ddydd Gwener – a phan es i i mewn i'r gegin roedd y ddau'n edrych i fyw llygaid ei gilydd a'r llythyr ar y bwrdd rhyngddyn nhw.

"Mae Dad a finnau wedi cael sgwrs," meddai Mam heb gymaint â "Helô" wrtha i, "ac rydyn ni wedi penderfynu ei bod hi'n bryd i ni yn y teulu yma feddwl am rywbeth heblaw ni'n hunain."

"Clywch! Clywch!" meddai Dad gan edrych ar Mam fel ci wedi cael bisged. "Rydyn ni am fynd i Lundain ddydd Sul, Del, ac rydw i'n gwybod y gwnei di'n helpu ni os byddwn ni'n ddigon lwcus i gael Tracy."

A dyna fel mae pethau heno, y pedwerydd ar ddeg o Ebrill, fel maen nhw'n ei ddweud ar y newyddion. Wn i ddim beth i'w feddwl. Rydw i'n teimlo mor gymysglyd. Y pnawn 'ma rôn i wedi penderfynu gwneud fy ngorau i groesawu Tracy ond erbyn hyn dydw i ddim mor siŵr. O! pam na fedr Mam a Dad adael llonydd i bethau? Roedden ni'n iawn fel roedden ni. Dydw i ddim isio i bethau newid.

Mae bywyd yn ddiflas! Mae gen i bythefnos ych-â-fiaidd o sglyfaethus o ddiflas o'm blaen. Gwyliau'r Pasg a dim byd i'w wneud ond meddwl am y Tracy 'ma. Mae Nerys a'r teulu'n mynd i ffwrdd ddydd Llun i dreulio deg diwrnod mewn carafán yng Ngheinewydd. Fydd gen i ddim cwmni, fydd gen i ddim byd i'w wneud a fydd gen i ddim gobaith o weld Trystan Jones tan ar ôl y gwyliau. Rydw i am fwyta'r wy Pasg ges i drwy'r post gan Anti Jên. Mae o wedi malu braidd ond mae o'n arwydd bod rhywun yn y byd yn meddwl amdana i.

Dydd Sul, Ebrill 17

Rydw i'n aros efo Nerys heno gan fod Mam a Dad wedi dal y trên i Lundain y bore 'ma. Mi driais i fy ngorau glas i'w perswadio nhw i fynd â fi efo nhw. Wedi'r cwbwl does 'na ddim ysgol fory a hyd yn oed taswn i ddim yn cael mynd i'r cyfarfod efo'r gweithwyr cymdeithasol rydw i'n ddigon hen i fynd rownd Llundain ar fy mhen fy hun am sbel. Ond doedd dim yn tycio. Roedd hi'n amlwg eu bod nhw isio mynd hebdda i. Roedden nhw'n gafael am ei gilydd bob munud ac yn sôn am fynd i'r theatr heno ac yn cofio pethau ddigwyddodd ar eu mis mêl nhw a ballu.'Tydi pobol mewn oed yn bethau od – fel ci a chath un munud ac fel pâr o golomennod y munud nesa. Gobeithio y gwneith y mis mêl bara y tro yma!

Mi ges i ddiwrnod anhygoel o ddiflas ddoe. Doedd Nerys ddim yn medru dod i'r dre gan fod yn rhaid iddi helpu'i mam i lanhau'r tŷ o'r top i'r gwaelod cyn gwyliau'r Pasg. Fyddwn ni byth yn gwneud y math yna o lanhau yn ein tŷ ni.

"Mae symud anghyfiawnder yn bwysicach na symud baw," meddai Mam ac am unwaith mae'n rhaid imi gytuno efo hi.

Mi dreuliais i'r dydd yn eistedd o gwmpas yn meddwl am y Tracy 'ma. Doedd 'na ddim byd gwerth ei weld ar BBC2 ac er bod Dad wedi gwneud rhywbeth i'r peiriant casetiau dydi o byth yn gweithio'n iawn. Felly doedd gen i ddim byd i'w wneud ond troi y peth rownd a rownd yn fy meddwl. O! rôn i'n teimlo'n ddiflas! Mi fues i'n pendroni a phendroni ar ôl mynd i'r gwely hefyd ac ar ôl syrthio i gysgu mi ges i hunllef ofnadwy am ferch pync oedd yn poeri gwm cnoi hyd lawr y llofft ac yn fy mhinsio i pan nad oedd neb yn sbio.

Rydw i'n teimlo'n well erbyn heno. Mi ges i sgwrs gall efo mam Nerys cyn dod i'r gwely. Mae 'na ddwy ochor i bob dim, meddai hi, ac os ydw i'n teimlo'n ansicr ac yn nerfus wrth feddwl am Tracy'n dod aton ni, mae'n siŵr bod y peth yn waeth o lawer iddi hi. Mae Mam a Dad yn rhieni da, meddai hi wedyn, maen nhw'n meddwl y byd ohona i ac mi wnân nhw'n siŵr y bydd Tracy a finnau'n cael chwarae teg. Dydi hi ddim yn gwybod, wrth gwrs, am yr holl ffraeo sy'n digwydd yn ein tŷ ni a fedrwn i ddim dweud wrthi hi. Ond rôn i'n derbyn ei phwynt hi am Tracy. Mae'n siŵr ei bod hi'n teimlo'n ofnadwy yn gorfod dod at deulu dieithr heb wybod sut groeso fydd yn ei haros. Mi wna i fy ngorau i wneud iddi deimlo'n gartrefol. Rydw i'n addo hynny.

O! rydw i'n teimlo'n well o lawer heno! Mae aros yn nhŷ Nerys bob amser yn gwneud imi deimlo'n gysurus ac yn ddiogel braf er bod yr hen lembo gwirion Gareth yn tynnu arna i bob munud. Danadl poethion oedd yn fy ngwely i heno ond mi ddois i o hyd iddyn nhw cyn mynd dan y dillad, drwy drugaredd. Mae o'n rêl babi. I feddwl bod Judith a Rhiannon yn dweud ei fod o'n fy ffansïo i! Faswn i ddim yn sbio arno fo tasen ni'n dau yr unig rai ar ôl yn y byd ar ôl bom niwclear!

Mae Nerys yn cysgu ers meitin, ac mi fedra innau gysgu rŵan, rydw i'n meddwl, heb gael hunllef. Ys gwn i beth ddigwyddith yn Llundain fory. Mi ga i wybod yr hanes pan ddôn nhw adre.

Dydd Llun, Ebrill 18

Diwrnod diflas arall! Mi fu'n rhaid imi ddod adre y bore 'ma gan fod Nerys a'r teulu ar gychwyn am y Bermo. Doedd dim byd i'w wneud drwy'r dydd wedyn ond hel meddyliau ac aros i Mam a Dad ddod adre. Mi fwytais i bump wy Pasg bach ac mae fy nhrowsus i'n dechrau teimlo'n dynn eto. Mi fydd yn rhaid imi wneud ymdrech erbyn dechrau'r tymor. Dydw i ddim yn debygol o weld Trystan Jones yn ystod y gwyliau.

Mi ddaeth Mam a Dad tua phump ac roedden nhw'n

llawn o'r hanes, yn amlwg wedi eu plesio. Roedd y gweithwyr cymdeithasol wedi eu plesio hefyd, medden nhw. Mi gawson nhw sgwrs hir am bob math o bethau ac yn y diwedd mi ddeudodd un o'r gweithwyr mai'n teulu ni ydi'r union deulu i Tracy a'u bod nhw'n awyddus iddi hi ddod aton ni mor fuan â phosib gan ei bod hi'n anhapus iawn yn y cartre erbyn hyn. Yr unig bethau sydd ar ôl ydi cael rhywun i ddod i weld y tŷ ac anfon adroddiad i Lundain a chael Tracy ei hun i'n cyfarfod ni ac i gytuno i ddod yma. Maen nhw am drefnu'r ddau beth yna ar frys, meddai Mam, ac wedyn mi ddaw Tracy yma am gyfnod arbrofol o ryw dri mis. Mi fydd hynny'n gyfle iddi hi ac i ni weld a ydi'r trefniant yn gweithio.

Roedd Mam yn byrlymu wrth ddweud yr hanes. Mae'n amlwg ei bod hi wrth ei bodd. Roedd Dad wrth ei fodd hefyd neu, o leiaf, roedd o wrth ei fodd efo Mam. Roedd o'n edrych arni hi efo llygaid llo bach ac yn cytuno efo pob dim roedd hi'n ei ddweud. Rydw i'n amau 'u bod nhw wedi taro bargen – Dad yn cytuno i Tracy ddod yma ar yr amod bod Mam yn mynd i lai o bwyllgorau. Rhywbeth ar y llinellau yna. A lle mae hynny'n gadael Tracy a finnau? Yn y canol, fel arfer. Does neb yn poeni sut mae hi na finnau'n teimlo am y peth. Fel 'na mae pobol mewn oed bob amser. Maen nhw'n gwneud ffys fawr o smalio 'u bod nhw isio gwybod ein barn ni ond, mewn gwirionedd, does gynnyn nhw mo'r mymryn lleiaf o ddiddordeb. Does 'na neb wedi gofyn sut rydw i'n teimlo am y busnes yma ac, a bod yn deg, wn i ddim beth faswn i'n ei ddweud tasan nhw'n gofyn. Dydw i ddim yn siŵr o gwbwl sut rydw i'n teimlo.

Dydd Iau, Ebrill 21

Mae pethau ar i fyny yr wythnos yma. Dydw i ddim wedi gweld Mam a Dad mor hapus ers talwm. Rydw i'n teimlo'n well hefyd. Mae'r tywydd yn braf ac rydw i'n gwneud ymdrech i'm cael fy hun yn ffit. Mi fues i'n chwarae badminton efo Dad nos Fawrth ac, er mai fi sy'n dweud, dôn i ddim yn ddrwg o gwbwl. Mi fasai Hanna Meri'n cael ffit tasai hi'n fy ngweld i!

Fasai hynny'n ddim byd chwaith i'r ffit ges i pan welais i Parri bach yn ei byjamas bore ddoe. Mam ofynnodd imi alw heibio iddo fo wrth fynd am jog – rydw i wedi bod yn mynd bob bore ers ddoe, wel ddoe a heddiw i fod yn fanwl gywir.

"Rydw i wedi sgwennu nodyn i ymddiheuro am golli pwyllgorau'r wythnos yma," meddai hi. "Ei di â fo i Aneurin pan fyddi di'n mynd heibio i'w fflat o?"

"Aneurin wir!" meddwn i wrthaf fy hun. "Tydan ni'n ffrindiau mawr yn sydyn iawn!" Ond mi gymerais i'r llythyr. Wedi'r cwbwl, fasai dim rhaid imi siarad efo'r mwnci, dim ond rhoi'r llythyr drwy'r drws. Ond pan ôn i wedi agor y giât a chychwyn i fyny'r llwybr am y tŷ pwy ddaeth allan i nôl y botel lefrith ond *fo*. Yn ei byjamas coch a melyn, yr hen sglyfaeth budur iddo fo! Mi wthiais i'r amlen i'w law o a rhedeg am fy mywyd. Rydw i'n siŵr bod blew ei drwyn o'n mynd fel tasai hi'n chwythu corwynt!

Dydd Mawrth, Ebrill 26

Argol! Rydw i wedi blino! Mae f'ysgwyddau a'm pengliniau i'n stiff, mae fy nwylo i'n swigod i gyd ac rydw i'n teimlo fel taswn i'n bedair a phedwarugain yn hytrach nag yn bedair ar ddeg. Dydw i 'rioed yn fy mywyd wedi gweithio mor galed ac rydw i'n siŵr bod hynny'n wir am Mam a Dad hefyd. Yn ystod y pum diwrnod diwetha 'ma – a'r rheiny'n ddyddiau gŵyl i fod – mae'r tŷ 'ma wedi cael ei frwsio a'i olchi a'i sgwrio o'r top i'r gwaelod. Mae cypyrddau wedi cael eu tynnu allan a baw blynyddoedd wedi'i sgubo o'r tu ôl iddyn nhw; mae drorsys wedi cael eu gwagio a llond tua chant o fagiau mawr du wedi'u cludo i'r domen sbwriel; mae ffenestri wedi cael eu gloywi, carpedi wedi cael eu curo a hen ornaments a ballu gafodd Mam a Dad yn anrhegion priodas wedi gweld golau dydd am y tro cynta er cyn cof. A hyn i gyd am fod gweithiwr cymdeithasol yn galw bore fory i weld a ydi'r tŷ yn ddigon da i fod yn gartre i Tracy. Mi gafodd Mam ffôn fore dydd Gwener i'n rhybuddio ni o'r peth – mae'n rhaid bod y gweithwyr cymdeithasol 'ma'n gwneud eu ffortiwn mewn *over-time*; roedd hi'n ddydd Gwener y Groglith. Mi roddodd Mam y ffôn i lawr a gweiddi arna i ac ar Dad oedd ar ei wyliau gan ei bod hi'n ŵyl banc. Ac mi aethon ni'n tri ati fel lladd nadredd. A dweud y gwir, mi gawson ni lawer o hwyl wrth weithio. Rydw i'n gor-ddweud, wrth gwrs. Doedd y lle ddim yn fudur ofnadwy cynt. Ond mae o fel palas rŵan ac mi ddylai wneud y tro i unrhyw Tracy. Wrth weithio'n galed a sgwrsio fwy am y peth efo Mam a Dad rydw innau wedi dod i edrych ymlaen at ei chael hi yma. O leia, rydw i'n meddwl fy mod i'n edrych ymlaen. Wn i ddim yn iawn beth rydw i'n ei feddwl.

Dydd Mercher, Ebrill 27

Wel, mi ddaeth y gweithiwr cymdeithasol ac mi aeth hi hefyd. Wnaeth hi ddim cymaint â sbio i mewn i'r drôrs nac o dan y matiau. Wnaeth hi ddim symud cypyrddau i edrych y tu ôl iddyn nhw a wnaeth hi ddim tynnu'i bys ar hyd y silff ben tân. A dweud y gwir, doedd hi ddim yn edrych yn rhy lân ei hun. Ac yn saff, doedd hi ddim yn edrych yn ddigon hen i wneud gwaith mor bwysig. Roedd hi'n edrych tua'r un oed â Siwan Humphries ond ddim hanner cyn ddeled â honno. Y cwbwl wnaeth hi oedd eistedd wrth fwrdd y gegin, yfed dwy baned o goffi, smocio dwy sigarét a gwrando ar Mam a Dad a finnau'n siarad yn hurt hollol wrth drio gwneud argraff arni hi.

"Mi gewch chi ffôn cyn bo hir. Hwyl!" meddai hi wrth neidio i mewn i'w char bach coch. Mi edrychon ni'n tri ar ein gilydd.

"Mi aeth pethau'n iawn, mi gewch chi weld," meddai Dad oedd wedi cymryd diwrnod o'i waith i fod yn bresennol yn y cyfarfod tyngedfennol yma.

"Gobeithio!" meddai Mam a finnau yr un pryd, ac er mawr syndod i mi fy hun, roeddwn i'n meddwl hynny. Ydw, erbyn hyn rydw i'n edrych ymlaen o ddifri at gael Tracy yma.

Dydd Iau, Ebrill 28

"Rwyt *ti* wedi newid dy diwn," meddai Nerys pan ddaeth hi draw y bore 'ma i ddweud hanes Ceinewydd. "Ond dyna fo, os wyt ti isio bod yn ffrindiau efo rhyw Gocni hanner pan, rhyngddat ti a dy bethau."

Rydw i'n meddwl bod Nerys fymryn bach, bach yn

eiddigeddus ac, a dweud y gwir, fedra i ddim gweld bai arni hi. Mi fasai'n well gen innau gael chwaer – unrhyw fath o chwaer – na brawd fel yr hen Gareth 'na. Roedd hwnnw, meddai hi, wedi codi cywilydd arnyn nhw i gyd wrth bledu cerrig mân at wylanod ar lan môr Ceinewydd. Dydi'r ffŵl ddim yn hanner call.

Prun bynnag, erbyn imi orffen dweud hanes Parri bach yn ei byjamas roedd Nerys wedi anghofio bod yn flin efo fi.

"Rwyt ti'n lwcus na wnaeth o ddim neidio arnat ti," meddai hi. "Yn enwedig os nad oedd o wedi cael brecwast."

Mi fuon ni'n dwy'n chwerthin am hir wedyn. Mae'n braf cael Nerys yn ôl.

Dydd Mawrth, Mai 3

Dechrau'r tymor ac mae'n rhaid imi gyfaddef fy mod i'n reit falch o gael mynd yn ôl i'r ysgol y bore 'ma. Roedd pawb yn bigog iawn yn ein tŷ ni dros y Sul a doedd pethau fawr gwell yn nhŷ Nerys pan es i draw fore Sadwrn. Mae'r stori'n dew rŵan fod y ffatri ar fin cau a dyna pam fod rhieni Nerys ar bigau'r drain. Wn i ddim beth sy'n bod ar fy rhieni i. Dydi'r Cyngor Sir ddim yn debygol o gau i lawr, felly fydd Dad byth ar y dôl. Ac eto mae o a Mam yng ngyddfau'i gilydd drwy'r amser ers dyddiau bellach. Efallai'u bod nhw'n poeni am adroddiad y ddynes 'gymdeithasol'.

Mi welais i Trystan Jones ar y coridor y bore 'ma. Roedd o'n siarad efo Marged Hughes, capten y tîm hoci. Wnaeth o ddim sylwi arna i'n mynd heibio. O! gobeithio nad ydi o ddim am ddechrau mynd efo hi! A finnau wedi gwneud cymaint o ymdrech i gael siâp arna i fy hun dros y gwyliau. Mae'n rhaid fy mod i wedi llwyddo hefyd achos mi fu Parri bach yn arbennig o glên efo fi y pnawn 'ma.

"Sut aeth y gwyliau, Delyth?" meddai fo. "Beth fuoch chi a'r teulu'n ei wneud?"

Wnes i ddim dweud wrtho fo, wrth gwrs. Dydi o ddim o fusnes y mwnci. Ond mae'r ffaith ei fod o'n gofyn yn dangos fy mod i'n ddeniadol, meddai Judith. Efallai 'i fod o'n hen ddyn budur ond *mae* gynno fo chwaeth, meddai hi. Wn i ddim sut mae hi'n gwybod chwaith, erbyn meddwl. Mae'n rhaid mai tynnu coes oedd hi eto.

Dydd Mercher, Mai 4

Newyddion ffantastig! Roedd adroddiad y ddynes 'gymdeithasol' yn iawn ac rydyn ni'n tri'n cael mynd i Lundain ddydd Gwener i gyfarfod Tracy. Ia, fi hefyd! Mi gafodd Mam lythyr y bore 'ma'n dweud bod popeth yn iawn cyn belled â bod Tracy a ninnau'n cytuno. Roedden nhw'n awgrymu'n bod ni'n treulio'r penwythnos nesa efo hi mewn gwesty yn Llundain er mwyn dod i nabod ein gilydd cyn penderfynu'n derfynol. Erbyn heno, roedd y cwbwl wedi'i setlo. Roedd Mam wedi bod ar y ffôn drwy'r dydd yn trefnu gwesty ac amser cyfarfod a phob dim. Rydyn ni'n dal trên ddau o'r gloch ddydd Gwener ac mi fyddwn ni yn Llundain erbyn saith. Mi fydd Tracy yn dod aton ni i'r gwesty i gael swper ac mi fydd hi'n aros yno efo ni tan fore Sul. Mi gawn ni dreulio dydd Sadwrn yn mynd o gwmpas y ddinas ac efallai y cawn ni fynd i weld sioe fin nos, meddai Mam. O fedra i ddim aros tan ddydd Gwener! Fues i 'rioed yn Llundain o'r blaen.

Dydd Iau, Mai 5

Fory ydi'r diwrnod mawr! Mae Nerys a Rhiannon a'r lleill yn wyrdd o genfigen ac roedd Parri bach hyd yn oed yn dangos diddordeb mawr pan ddeudais i wrtho fo na fyddwn i ddim yn yr ysgol ddydd Gwener.

"Mynd i Lundain?" meddai fo. "Ydi'ch tad yn mynd hefyd? A'ch mam?"

"Ydyn," meddwn innau ond ddeudais i ddim mwy na hynny. Dydw i ddim yn gweld ei fod o'n fusnes i neb arall *pam* rydyn ni'n mynd. Dim ond Nerys sy'n gwybod mai mynd i gyfarfod Tracy rydyn ni.

Dydw i ddim mor siŵr rŵan fy mod i isio'i chyfarfod hi. Beth os bydd hi'n meddwl fy mod i'n edrych yn hen ffasiwn, fel merch o'r wlad? Beth os na fydda i'n ei deall hi'n siarad? O! dydw i ddim yn gwybod beth i'w feddwl! Rydw i'n edrych ymlaen yn ofnadwy un munud a'r munud nesa rydw i bron â chael cathod bach wrth feddwl am y peth. Gobeithio yr eith popeth yn iawn. Gobeithio y bydd hi'n fy lecio i.

Dydd Sul, Mai 8

Wel, dyna hynna drosodd a dydw i ddim yn siŵr o hyd a ydw i isio i Tracy ddod yma ai peidio. Mae'n debyg i'r penwythnos fod yn llwyddiant mewn ffordd. Wnes i ddim ffraeo efo hi na dim byd felly ac mae Mam a Dad wedi gwirioni arni hi. Mi lwyddon nhw i fod yn glên efo'i gilydd y rhan fwya o'r amser ac mi gawson ni i gyd amser da.

Ond dydw i ddim yn teimlo fy mod i wedi dod i nabod Tracy o gwbwl.

"Sut hogan ydi hi?" meddai Nerys pan ffoniais i hi ar ôl cyrraedd adre ond fedrwn i ddim ateb y cwestiwn yn iawn. Mi fedrwn i ddweud sut un ydi hi i edrych arni hi, wrth gwrs – digon cyffredin, a dweud y gwir. Mae ei gwallt hi'n ddu ac wedi'i dorri'n gwta ac roedd hi'n gwisgo'r un math o ddillad â fi. Efallai bod gynni hi braidd ar y mwya o *make-up* ond ar wahân i hynny roedd hi'n edrych yn debyg iawn i genod ein dosbarth ni. Fedra i ddim dweud sut berson ydi hi'r tu mewn achos wnaeth hi ddim siarad llawer efo fi. Y noson gynta – nos Wener – ddeudodd hi ddim gair o'i phen drwy amser swper yn y gwesty. Roedd 'na weithiwr cymdeithasol yn bwyta efo ni ac felly roedd yn rhaid inni siarad Saesneg. Rôn i'n meddwl mai dyna oedd yn ei dal hi'n ôl – roedd yr adroddiadau'n dweud bod siarad Cymraeg yn bwysig iddi a'i bod hi wedi styfnigo am nad oedd neb yn y cartre yn medru siarad efo hi rŵan. Ond doedd gynni hi ddim llawer i'w ddweud ar ôl i'r dyn fynd chwaith. Roedd hi'n ateb pan oedden ni'n gofyn rhywbeth iddi hi ond rhyw fwmial oedd hi gan ddal ei phen i lawr. Rhwng hynny a'r ffaith ei bod hi'n siarad efo acen y de roedd hi'n anodd iawn cynnal sgwrs efo hi.

"Biti na faset ti yna," meddwn i wrth Nerys. "Dwyt ti byth yn brin o rywbeth i'w ddweud. Roedd Tracy druan a finnau mor swil â'n gilydd."

"Fel 'na mae pobol y de," meddai Nerys. "Dydyn nhw ddim yn siarad os nad oes gynnyn nhw rywbeth gwerth ei ddweud." Mae hi'n meddwl ei bod hi'n arbenigwr ar y de ar ôl treulio deg diwrnod yng Ngheinewydd!

Prun bynnag, mi wellodd pethau ryw gymaint ddydd Sadwrn. Mi gawson ni drip mewn cwch ar yr afon yn y bore ac, er bod Tracy yn andros o swil o hyd, mi lwyddodd Dad i wneud iddi chwerthin wrth smalio bod yn sâl môr. A dweud y gwir, roedd gen i dipyn o gywilydd ei fod o'n actio'r ffŵl gymaint ond roedd o a Mam yn baglu dros ei gilydd i drio bod yn glên efo Tracy. Ac roedd hi'n amlwg ei bod hi'n eu lecio nhw. Mi ddechreuodd hi wenu a siarad yn gliriach a dweud pethau ohoni'i hun yn lle aros inni ofyn cwestiwn. Roedd hi'n ymateb yn arbennig o dda i Dad ac mae'n rhaid imi ddweud ei fod o ar ei orau efo hi. Mi brynodd o hufen iâ mawr inni'n dwy ac mi edrychodd arnon ni'n eu bwyta nhw heb ddweud gair am colesterol. Dydw i ddim yn meddwl bod Tracy wedi sylwi ei fod o a Mam yn eitha pigog efo'i gilydd erbyn diwedd y pnawn ond roedd hi'n amlwg i mi bod y straen yn dechrau dweud arnyn nhw.

Yn rhyfedd iawn, roedd Tracy yn fwy swil efo fi nag efo Mam a Dad. Fel arall yn hollol y bydda i. Mae'n haws o lawer gen i siarad efo rhai yr un oed â fi nag efo oedolion. Ond roedd Tracy fel tasai hi ddim yn gwybod beth i'w ddweud wrtha i ac, a dweud y gwir, doedd gen i ddim syniad beth i'w ddweud wrthi hithau chwaith hanner yr amser. Dim ond un waith y gwnaethon ni ymlacio efo'n gilydd. Roedden ni'n dwy wedi mynd am dro i lawr Whitehall ac i Horse Guards Parade tra oedd Mam a Dad yn cael paned mewn caffi. Roedd 'na filwr yno yn eistedd ar gefn ceffyl a het fawr uchel ar ei ben.

"Hia!" meddai Tracy wrtho fo ond wnaeth o ddim blincio hyd yn oed, dim ond edrych yn syth yn ei flaen fel tasai fo ddim yn clywed. Mi ddechreuodd hi dynnu stumiau wedyn – pob math o stumiau, mi faswn i'n taeru bod gynni hi wyneb rwber. Yn y diwedd, mi gafodd hi'r milwr i chwerthin ac erbyn hynny rôn i yn fy nyblau. Mi redon ni'n dwy i lawr y stryd gan chwerthin nes bod ein hochrau ni'n brifo ond yn sydyn mi sobrodd Tracy ac erbyn inni gyrraedd yn ôl at Mam a Dad roedd hi'n ddistaw ac yn swil unwaith eto.

Hogan od ond, fel y deudodd Mam ar y trên ar y ffordd adre, mae hi wedi cael magwraeth od ac mi fydd yn rhaid inni fod yn amyneddgar. Rydyn ni'n siŵr o ddod i'w nabod hi yn y diwedd. Dydw i ddim mor siŵr.

Fel y mae pethau ar hyn o bryd mi fasen ni'n iawn. Mae Mam a Dad yn amlwg yn gwneud ymdrech i fod yn rhieni delfrydol. Ond mae hynny'n dipyn o straen arnyn nhw. Beth os dechreuan nhw ffraeo eto? Beth os dechreuith y ddau ohonyn nhw fynd allan bob nos fel roedden nhw tan yn ddiweddar iawn? Pwy fydd yn gorfod bod yn amyneddgar efo Tracy wedyn? Fi, debyg iawn, ac fel y deudais i wrth Nerys, dydw i ddim yn siŵr ydw i isio'r job.

"Mi helpa i chdi," meddai honno. "Mae hi'n swnio'n hen hogan iawn ac mi fydd hi'n grêt cael rhywun i dynnu stumiau ar Parri bach!"

Dydd Mawrth, Mai 10

Wel, mae popeth wedi'i setlo. Mae Tracy'n dod aton ni am gyfnod o dri mis i ddechrau ac wedyn, os bydd pawb yn hapus, mi fydd hi'n aros am byth. Mi fydd hi'n cyrraedd ar y trên o Lundain wythnos i ddydd Gwener nesa, yn ôl y llythyr gawson ni'r bore 'ma. Roedd y llythyr yn egluro nad ydyn nhw ddim yn arfer brysio fel hyn ond bod Tracy'n anfodlon iawn yn y cartre ac nad oes dim pwynt ei chadw hi yno'n hwy na sy raid.

Roedden ni'n tri wedi sobri dipyn bach o sylweddoli fod y peth mor agos. Doedd gen i ddim amser i drafod gan fy mod i'n rhuthro o gwmpas yn hel pethau ar gyfer gwneud omlet Sbaeneg i Cadi Cwc y pnawn 'ma ond mi glywais i Dad yn dweud wrth Mam,

"Wel, dyna ti. Rwyt ti wedi gwneud dy ddewis. Fydd 'na ddim troi'n ôl rŵan, cofia."

A doedd Mam ddim yn edrych hanner mor hapus ag y basai rhywun yn ei ddisgwyl chwaith.

Mae'n rhaid nad oedd fy meddwl innau ddim ar beth rôn i'n ei wneud achos pan es i i'r wers goginio roedd popeth gen i ond yr wyau. Mi gafodd Cadi Cwc fodd i fyw. Mi rygnodd hi ymlaen am hanner awr o leia am 'hogan a'i phen yn y gwynt' ac 'anghofio'i phen ryw ddiwrnod' a phethau gwreiddiol fel'na. Yr hen gnawes sbeitlyd iddi hi! Mi leciwn i taswn i'n ddigon dewr i'w hateb hi'n ôl.

Dydi mis mêl Mam a Dad ddim wedi para'n hir iawn. Maen nhw'n dangos y straen yn ofnadwy erbyn hyn.

"Rydw i'n meddwl y basai'n well i Tracy gael y stafell sbâr yn hytrach na rhannu efo chdi," meddai Mam ar ôl dod o'i dosbarth dawns heno. "Mi fydd yn rhaid i chi'ch dau ei pheintio hi ddydd Sadwrn pan fydda i yn yr ysgol undydd."

Roedd Dad ar ei feic ymarfer yng nghornel y stafell fyw yn mynd fel cath i gythraul i le yn y byd. Mi stopiodd yn stond ac ysgwyd ei ben er mwyn cael y cudyn gwallt hir sy'n arfer cuddio'i le moel o'i lygaid.

"Pa ysgol undydd?" meddai fo'n siort.

"Wel, yr ysgol ar weithredu di-drais," meddai hithau.

"Rydw i wedi addo i Aneurin . . ."

Rôn i'n meddwl y basai Dad yn ffrwydro ond mi gyfrodd i ryw gant neu ddau cyn dweud rhwng ei ddannedd wrtha i,

"Delyth, ei di i wneud rhywbeth yn dy lofft, cariad? Mae Mam a finnau isio sgwrs fach."

Rydw i'n eu clywed nhw'n 'sgwrsio' rŵan. Mae'n siŵr bod pawb yn yr ardal yn eu clywed nhw. Mae'n lwcus bod y gweithiwr cymdeithasol yn ddigon pell neu fasai 'na ddim siawns i Tracy druan ddod yma.

Dydi Trystan Jones ddim wedi torri gair â mi y tymor yma. Mi welais i o'n cerdded o'r ysgol y pnawn 'ma. Roedd o'n siarad efo Marged Hughes eto ac yn cario'i bag hi hefyd. Wn i ddim pam ei fod o'n gwneud hynny. Mae hi'n ddigon cry i gario'i bag ei hun a bagiau pawb arall yn y chweched hefyd. Hen bladres fawr ydi hi efo breichiau fel polion teligraff a choesau fel coed derw. Wn i ddim beth mae Trystan yn ei weld ynddi hi.

Hei! Mae Nerys newydd fod ar y ffôn. Roedd hi wedi gweld y newyddion ar y teledu. Maen nhw'n chwilio am ddyn sydd wedi ymosod ar ferch yn un o feysydd parcio'r dre. Dyn bychan tew efo gwallt brown oedd y disgrifiad, meddai hi, ac mae hi'n siŵr mai Parri bach oedd o. Mae hi'n meddwl y dylen ni ffonio'r heddlu. Rydw i wedi'i pherswadio hi i adael y peth tan fory. Wedi'r cwbwl, mae gan lawer o ddynion wallt brown a dydi bod yn fach ac yn dew ddim yn beth anghyffredin.

Mae Mam a Dad wedi tawelu erbyn hyn, diolch byth. Mae'n gas gen i pan maen nhw'n ffraeo fel'na.

Dydd Mercher, Mai 11

Haleliwia! Mae Trystan Jones wedi cymryd sylw ohona i o'r diwedd! Roedd o'n mynd heibio i'r cae chwarae pan ddigwyddais i roi andros o slap i'r bêl a llwyddo i gael rownder heb fawr o drafferth. Lwc pur oedd o ond roedd genod fy nhîm i'n gweiddi, "Tyrd yn dy flaen, Del!" ac mi stopiodd o a gweiddi efo nhw! Mi aeth fy nghoesau i i grynu fel jeli ac mi fu bron imi lewygu rhwng y trydydd a'r pedwerydd. Ond mi lwyddais i gyrraedd adre ac roedd Hanna Meri hyd yn oed yn hael ei chlod. Mae'n rhaid imi ddweud bod mynd i jogio bob nos efo Dad yn talu ar ei ganfed imi. Rydw i'n llawer mwy ffit. Ond yn bwysicach na hynny, rydw i'n llawer mwy deniadol ac rydw i'n siŵr bod Trystan Jones wedi sylwi ar hynny.

"Os nad ydi o'n fy ffansïo i, pam mae o'n cerdded heibio i'r cae bob tro rydan ni'n cael chwaraeon!" meddwn i wrth Nerys.

"Mae hogiau'r chweched yn cael gwers yr un pryd," meddai hithau, "a fedr o ddim hedfan dros y cae, stiwpid."

Mae Nerys yn dal yn siŵr mai Parri bach wnaeth ymosod ar y ferch 'na ac mae Rhiannon a Judith yn cytuno efo hi. Mi dreulion nhw'r wers Gymraeg yn trio gweld a oedd gynno fo grafiadau ar ei wyneb neu ei ddwylo. Maen nhw'n sôn am anfon llythyr di-enw at yr heddlu ac maen nhw'n dweud na ddylai'r un hogan fynd o gwmpas yr ysgol ar ei phen ei hun.

Mae pethau wedi tawelu yn ein tŷ ni ar ôl 'sgwrs' neithiwr. Dydi Mam ddim am fynd i'r cwrs ar weithredu di-drais wedi'r cwbwl. Mi roddodd hi lythyr imi ei roi i

Parri bach i egluro'r sefyllfa ac mi gafodd y genod filoedd o hwyl pan ddeudais i beth oedd yn y llythyr.

"Cwrs handi iawn iddo fo," meddai Judith. "Biti na fasai fo wedi cael cwrs felly ers talwm. Mi fasai'r ardal yma wedi bod yn lle mwy diogel i genod diniwed!"

Dydd Sul, Mai 15

Mi dreuliodd Mam a Dad a finnau'r penwythnos yn paratoi'r llofft sbâr ar gyfer Tracy. Mi beintion ni'r waliau yn wyn plaen ac mi garion ni rai o'r dodrefn o lofft Dylan – y ddesg a ballu – a'u ffeirio nhw am y dodrefn trwm oedd yno.

"Mi fydd hi'n fwy cartrefol efo'r rhain," meddai Mam. "Pan fydd hi wedi setlo, mi geith hi ddewis ei lliwiau a'i dodrefn ei hun."

Roedd Nerys acw ar y pryd ac mi glywais i hi'n dweud rhywbeth dan ei gwynt. "Braf iawn, wir!" meddai hi ar ôl i Mam a Dad fynd i lawr y grisiau. "Mae'n lwcus bod gynnoch chi ddigon o bres. Mi fasai'n anodd iawn i bobol dlawd fabwysiadu rhywun." Nerys druan! Rydw i'n meddwl ei bod hi'n dal i boeni am waith ei thad. Dydyn nhw byth wedi clywed dim byd yn bendant.

Dydd Llun, Mai 16

O'r nefoedd! Mi fedrwn i fwrdro Mam am fod mor stiwpid ac am fy rhoi i mewn lle mor annifyr. Mi ddaeth hi i'r ysgol y bore 'ma i siarad efo'r prifathro ynglŷn â Tracy ond yn lle mynd adre ar ôl gwneud hynny roedd yn rhaid iddi hi ddod i chwilio am Parri bach i gael sgwrs ynglŷn â rhyw brotest neu'i gilydd. Mi fu'r ddau'n dal pen rheswm ar y coridor am hydoedd. Roedd Mam yn gwenu ac yn giglo fel hogan fach ysgol gynradd ac roedd yr hen Parri yn ei ddal ei hun yn stiff a'i wyneb yn biws, biws wrth iddo fo drio'i orau i gadw'i fol cwrw i mewn. O! roedd y ddau'n edrych yn wirion! Ac wrth gwrs, roedd miloedd o bobol wedi sylwi arnyn nhw!

"Wel, wel," meddai Judith. "Pwy fasai'n meddwl? Gobeithio bod dy fam yn medru jiwdo!" Mi ddechreuodd y genod i gyd chwerthin ac rôn i'n teimlo lwmp mawr yn fy ngwddw. Wnaeth Nerys ddim chwerthin chwaith. Mi roddodd hi ei braich amdana i a dweud wrthyn nhw pam fod Mam wedi dod i'r ysgol heddiw. Roedden nhw i gyd yn holi ac yn stilio wedyn. Roedden nhw isio gwybod pob dim am Tracy ac mi anghofion nhw am Mam a Parri bach. Diolch byth! Rydw i'n gwybod mai trafod bomiau a phethau felly roedden nhw ond roedd Mam yn edrych mor wirion. Roedd hi'n codi cywilydd arna i. Pam na fedr hi fod fel mam pawb arall? Mae hi a Dad yn *ymddwyn* yn ddigon clên efo'i gilydd er nos Fawrth ond mi fedra i synhwyro bod hynny'n dipyn o straen arnyn nhw. Gobeithio y bydd pethau'n well pan ddaw Tracy.

Dydd Iau, Mai 19

Wel, mae popeth yn barod. Does 'na ddim byd i'w wneud rŵan ond aros iddi hi gyrraedd. Rydyn ni'n tri'n mynd i gyfarfod y trên am bump o'r gloch pnawn fory. Yr amser yma nos fory mi fydd gen i chwaer! Wel, chwaer dros dro, beth bynnag. Mae meddwl am hynny'n gwneud imi deimlo'n rhyfedd braidd. Gobeithio y bydd popeth yn iawn.

Mi glywson ni ar y newyddion heno bod yr heddlu wedi restio dyn am ymosod ar y ferch yn y dre. Nid Parri bach oedd o'n anffodus. Fasai cyfnod o garchar yn gwneud dim drwg i hwnnw.

Dydd Gwener, Mai 20

Mae hi wedi cyrraedd. Rydw i'n eistedd yn fy ngwely'n sgwennu hwn ac mae fy chwaer i'n cysgu yn y stafell drws nesa! Mae'n anodd meddwl amdani hi fel chwaer hefyd. Mae chwaer i fod yn nes at rywun na ffrind hyd yn oed ond fydda i byth mor agos ati hi ag yr ydw i at Nerys. Prin rydw i'n nabod Tracy. Chawson ni fawr o sgwrs heno. Mae'n siŵr ei bod hi wedi blino. Rydw innau wedi ymlâdd erbyn meddwl. Mae hi wedi bod yn ddiwrnod rhyfedd rhwng pob dim.

Dydd Sadwrn, Mai 21

Ew! Mae'r Tracy 'ma'n hogan ddistaw. Mae hi'n siarad yn swil ac yn gwrtais efo pawb fel tasai hi tua hanner cant oed. Rydw i'n dechrau meddwl mai dychmygu'i bod hi'n tynnu stumiau ar y milwr wnes i.

Mi ddaeth hi i jogio efo Dad a finnau'r bore 'ma. Argol! Sôn am symud! Roedd hi'n gwneud i ni'n dau edrych fel dau eliffant yn mynd am dro efo llewpart. Doedd Dad ddim yn lecio chwaith. Mae o wedi arfer brolio'i fod o'n medru rhoi dau dro am un i mi ond heddiw roedd o'n tuchan ac yn chwysu wrth drio cadw wrth sodlau Tracy. Doedd gynni hi ddim llawer i'w ddweud pan gyrhaeddon ni'n ôl i'r tŷ, dim ond gwenu'n ddel ar Dad wrth iddo geisio esbonio bod ei benglin ciami o'n rhoi trafferth iddo fo bob hyn a hyn.

Y pnawn 'ma, mi aeth Tracy a finnau i dŷ Nerys. A dweud y gwir, mi faswn i wedi lecio mynd hebddi hi. Erbyn amser cinio rôn i wedi dechrau cael llond bol ar y ffordd roedd hi'n nodio ac yn gwenu ac yn cytuno efo pawb. Felly roedd hi yn nhŷ Nerys hefyd ac rôn i'n falch o'r cyfle i ddianc i fyny'r grisiau efo Nerys pan ddechreuodd ei mam hi holi Tracy am ei hysgol yn Llundain. Doedd hi ddim wedi gwneud argraff ffafriol iawn ar Nerys chwaith, erbyn deall.

"Nefoedd!" meddai honno. "Rwyt ti wedi cael un dda yn fan'na. Ydi hi'n medru dweud rhywbeth heblaw 'Odi, odi' ac 'Odw, odw', dywed? Fasai waeth iti fabi dol ddim!"

"Swil ydi hi," meddwn innau. Rôn i'n teimlo bod yn rhaid imi gadw ochor Tracy er fy mod i'n cytuno'n llwyr efo Nerys. Mae'n rhaid imi ddweud bod Tracy wedi ymlacio rywfaint erbyn inni fynd i lawr y grisiau hefyd. Roedd hi a mam Nerys yn dod ymlaen yn dda yn ôl pob golwg.

Dydd Mawrth, Mai 24

Dydw i ddim yn cael munud i mi fy hun. Mae'r Tracy 'ma fel cysgod ar fy ôl i ym mhob man. Rydw i'n gwybod fy mod i'n cwyno bod y tŷ'n ddistaw o'r blaen ond, a dweud y gwir, does 'na fawr fwy o sŵn yma rŵan. Fedr neb ddweud bod Tracy yn hogan swnllyd! Ac eto, mae Nerys yn meddwl bod 'na fwy ynddi hi nag yr ydyn ni'n ei weld.

"Welaist ti ei llygaid hi?" meddai hi dan ei gwynt ar ôl i Cadi Cwc roi tafod i Tracy heddiw. "Roedd hi bron,

bron â gwylltio." Chwarae teg iddi hi! Mae Cadi Cwc yn ddigon i wylltio sant. Mi neidiodd ar Tracy y pnawn 'ma a hithau ar ei hail ddiwrnod mewn ysgol newydd.

"Nid fel'na mae torri nionyn," meddai hi yn ei hen lais sgrechlyd fel tasai ots sut mae rhywun yn torri peth felly. Mi edrychodd Tracy druan yn wirion arni hi. Doedd gynni hi ddim syniad am beth roedd Cadi'n siarad. *Wynwnsyn* ydi nionyn iddi hi. Mi gafodd andros o drefn wedyn. Mi rygnodd Cadi ymlaen ac ymlaen yn ei ffordd arbennig ei hun am "ferched y ddinas sy'n meddwl eu bod nhw'n gwybod pob dim" a sylwadau sbeitlyd eraill. Ddeudodd Tracy ddim byd, dim ond sefyll a gwrando ond roedd ei llygaid hi'n fflachio, meddai Nerys. Roedd y genod i gyd yn cydymdeimlo efo hi. Rydyn ni i gyd yn ein tro wedi cael blas tafod Cadi Cwc, fi yn amlach na neb. Mi welais i Rhiannon a Judith yn sleifio at Tracy ar ôl i Cadi droi ei chefn.

"Paid â phoeni," meddai Judith. "Does 'na neb byth yn gwrando ar yr hen ast!"

Chwarae teg, mae pawb ond Cadi wedi bod yn glên iawn efo Tracy. Mae'r genod wedi gwneud eu gorau i wneud iddi deimlo'n gartrefol ac mi wnaeth Parri bach hyd yn oed ddangos diddordeb a gofyn oedd hi'n hapus yn ei chartre newydd.

"Isio gwybod sut mae dy fam mae o," meddai Judith wrtha i ar ddiwedd y wers. "Dyna'r unig reswm mae o'n holi."

Gobeithio nad ydi hi ddim yn iawn. Roedd Mam yn edrych yn od o falch o gael y llythyr roddodd yr hen Parri imi y pnawn 'ma. Mae'n rhaid bod cofnodion y pwyllgor diwetha yn andros o ddiddorol!

Dydd Mercher, Mai 25

Wel, rôn i'n meddwl fy mod i'n eitha ffit erbyn hyn ac rydw i'n gwybod bod Nerys a Rhiannon a'r lleill yn ffansïo'u hunain fel tipyn o athletwyr. Ond mi roddodd Tracy ddau dro am un i ni i gyd yn y wers y pnawn 'ma. Roedd Hanna Meri wedi gwirioni arni hi ac mi sylwais i bod criw o'r chweched dosbarth wedi stopio i'w gwylio hi hefyd. Rydw i bron yn siŵr bod Trystan Jones wedi codi'i law arna i ond mae Nerys yn dweud mai crafu'i ben roedd o.

Dydd Gwener, Mai 27

Rydw i newydd ddod i'm llofft ar ôl treulio tipyn o amser efo Tracy yn ei stafell hi. Mi gafodd Mam a Dad 'sgwrs' arall heno – andros o un swnllyd! Roedd Tracy a finnau wedi dechrau siarad yn iawn am chwaraeon ac ymarferion i golli pwysau a phethau felly pan glywson ni'r gweiddi i lawr y grisiau. Mi dawelodd Tracy'n syth a fedrwn i mo'i chael hi i ymlacio wedyn. Mae arna i ofn bod bywyd teuluol yn wahanol iawn i'r hyn roedd hi'n ei ddisgwyl. Gobeithio nad ydi hi ddim yn anhapus yma.

Hei! Mi fu bron imi anghofio. Mi siaradodd Trystan Jones efo fi'r pnawn 'ma! Roedd o'n cerdded o flaen Tracy a finnau ar y ffordd o'r ysgol a phan sylwodd o arnon ni mi arhosodd amdanon ni. Mi fuon ni'n cyd-gerdded wedyn am bron i bum munud. Roedd o'n gwybod am Tracy – rydw i'n meddwl bod pawb yn yr ardal yn gwybod erbyn hyn – ac mi holodd o hi am Lundain. Mi atebodd hi hefyd. Doedd hi ddim yn swnio'n swil o gwbwl efo fo. Dydi hi ddim yn ei ffansïo fo chwaith. Dydi hi ddim yn meddwl ei fod o'n ddel, meddai hi, pan ofynnais i iddi hi wedyn. Mae hi'n methu deall pam rydw i wedi gwirioni fy mhen efo fo. Mi gawson ni sgwrs reit ddifyr am hogiau a beth sy'n eu gwneud nhw'n ddeniadol. Mae'n dod yn haws siarad efo hi erbyn hyn. Neu *roedd* hi'n dod yn haws cyn i ffraeo Mam a Dad ddifetha pethau.

Dydd Sadwrn, Mai 28

Mi aeth Tracy, Nerys a finnau i'r dre y bore 'ma. Mi gawson ni lifft gan Mam. Roedd hi'n mynd i'r pwyllgor ac mae'n siŵr, erbyn meddwl, mai dyna oedd achos y ffrae rhyngddi hi a Dad neithiwr. Mae Dad yn flin gynddeiriog pan mae hi'n mynd i bwyllgor neu rywbeth y dyddiau yma. Wn i ddim pam – doedd hynny ddim yn poeni llawer arno fo ers talwm.

Roedd Nerys a'i phen yn ei phlu y bore 'ma gan fod ei thad hi wedi cael gwybod yn bendant y bydd o'n colli'i waith ymhen mis. Mi driais i fy ngorau i godi'i chalon hi ond doedd dim yn tycio nes i Tracy benderfynu actio'r ffŵl yn stafell newid y siop ddillad. Wn i ddim beth ddaeth drosti – yr un cythraul â phan oedd hi'n tynnu stumiau ar y milwr yn Llundain, mae'n debyg. Mi welodd hi ddynes fawr, dew yn stryffaglio i drio cau trowsus tyn, tyn ac mi aeth hi y tu ôl iddi a dechrau meimio gan dynnu yn ei *zip* a gwthio'i bol i mewn efo'i llaw yr un fath yn union â'r ddynes. Roedd hi'n ddoniol ofnadwy, er ei bod hi braidd yn greulon ac roedd Nerys a finnau'n lladd ein hunain yn chwerthin nes i'r ddynes droi a'n dal ni. Roedd yn rhaid inni ddod oddi yno ar frys wedyn ond roedd Tracy wedi gwneud y tric. Roedd hwyliau gwell o lawer ar Nerys ac mi gawson ni'n tair amser grêt am weddill y bore.

Mi aethon ni i'r caffi i aros am Mam ond pan ddaeth hi o'r pwyllgor mi roddodd hi bres inni brynu chips a dweud ei bod hi'n mynd i gael cinio efo rhai o bobol y pwyllgor gan fod gynnyn nhw fwy o bethau i'w trafod. Roedd Parri bach yn aros amdani hi ac mi ês i at ddrws y caffi i wylio'r ddau'n cerdded i lawr y stryd. Doedd 'na neb arall efo nhw.

"Ydi dy fam yn gall, dywed?" meddai Nerys pan ês i'n ôl ati hi a Tracy. "O'r holl ddynion yn y dref, meddylia ei bod hi'n dewis y secs maniac budur yna!"

Rhyw hanner tynnu coes roedd Nerys ond mi ddeudodd Tracy wrthi hi'n blaen am roi'r gorau iddi hi. Mae gan Mam dipyn o ffan yn fan'na, mae'n amlwg. A dweud y gwir, faswn i byth yn cyfaddef wrth neb ond rydw i'n dechrau poeni dipyn bach am y peth. Mae Mam yn gweld Parri bach yn aml a dydi pethau ddim yn dda o gwbwl rhyngddi hi a Dad. Mae 'na awyrgylch ofandwy yn y tŷ 'ma eto heno, O! gobeithio nad oes 'na ddim byd yn y stori! Gobeithio bod gynni hi ormod o synnwyr cyffredin i sbio ar hen sglyfaeth mochynnaidd fel Parri bach. Mi faswn i'n marw o gywilydd tasai hi'n mynd efo fo.

Dydd Sul, Mehefin 5

Fedrwn i ddim sgwennu yn y dyddiadur 'ma o gwbwl yr wythnos ddiwetha gan fod Tracy a Nerys a finnau wedi cael mynd i wersylla ar fferm ewythr Nerys sydd wrth y môr tua phum milltir o fan'ma. Mi gawson ni amser grêt yno. Dydy Tracy ddim yn swil o gwbwl, ddim efo Nerys a finnau, beth bynnag. Mae hi'n andros o gês ac mi gawson ni filoedd o hwyl yn ei gweld hi'n mynd drwy'i phethau. Mae hi'n ffantastig o dda am ddynwared pobol, ac mae hi'n medru gwneud y rhan fwya o athrawon yr ysgol yn barod, ar ôl dim ond wythnos. Roedden ni'n lladd ein hunain yn chwerthin pan oedd hi'n smalio bod yn Parri bach, yn gwthio'i bol allan fel tasai hi'n disgwyl babi ac yn gwneud llygaid bach slei ar y genod ar y traeth.

Doedden ni ddim wedi cynllunio i gael gwyliau fel'na o gwbwl. Tad Nerys awgrymodd y peth fore Sul. Roedd Mam a Dad yn fodlon, felly mi aethon ni ati'n syth i hel ein pethau ac erbyn y noson honno roedden ni wedi setlo yn ein pabell fach. A dweud y gwir rydw i'n meddwl bod rhieni Nerys isio iddi gael rhywbeth i fynd â'i bryd rhag ofn iddi hi boeni'n ormodol am waith ei thad. Mi weithiodd eu cynllun nhw'n grêt. Wnaeth yr un ohonon ni'n tair boeni am ddim drwy'r wythnos. Roedden ni'n cael bwyd yn y tŷ fferm efo modryb ac ewythr Nerys ac roedden ni'n gwybod y basen nhw'n ein helpu ni tasen ni angen hynny ond roedden ni'n rhydd i wneud fel fynnen ni o fore gwyn tan nos. Mi welson ni dipyn o bobol roedden ni'n nabod ar y traeth ond ddaeth Trystan Jones ddim yno, gwaetha'r modd. Ys gwn i beth fu o'n ei wneud yn ystod y gwyliau?

Prun bynnag, rydw i'n teimlo erbyn hyn fy mod wedi dod i nabod Tracy yn dda. Mae Nerys a finnau'n ei lecio hi'n arw ac rydw i'n meddwl ei bod hi'n dipyn o ffrindiau efo ni hefyd.

Dydd Mawrth, Mehefin 7

Argol am ddiwrnod! Fydd yr ysgol byth yr un fath. Neu, o leiaf, fydd Cadi Cwc byth yr un fath. Ac i Tracy mae'r diolch! Mi ddechreuodd Cadi bigo arni hi yn y wers eto heddiw. Gwneud *soufflé* roedden ni, neu *trio* gwneud *soufflé* yn fy achos i. Roedd Tracy'n cael eitha hwyl arni hi ond bod Cadi am ryw reswm yn benderfynol o weld bai.

"Cymysgwch y blawd yn iawn. Peidiwch â bod mor ddiog, hogan. Oes gynnoch chi ofn ei frifo fo? Codwch y sosban oddi ar y gwres. O! does gynnoch chi ddim syniad, nac oes?" ac ymlaen ac ymlaen fel y bydd Cadi Cwc unwaith y bydd hi wedi codi stêm. Mi ddaliodd Tracy am ryw bum munud ac yna mi ffrwydrodd.

"Shgwlwch 'ma," meddai hi gan ysgwyd ei llwy bren o dan drwyn Cadi Cwc. "Wy 'di ca'l llond bola. Symo fi moyn gwneud *soufflé* ta beth. Allith y rhan fwya o bobol fyth â fforddio gwneud shwt beth drud â *soufflé* a symo fi am wastraffu amser yn dysgu shwt i wneud e." A heb wastraffu mwy o eiriau mi dorrodd wy yn daclus ar gorun Cadi a cherdded allan o'r dosbarth gan adael yr hen Gadi yn sgrechian ar ei hôl hi. Mi fu 'na andros o helynt wedyn a Chadi'n mynnu bod Judith yn mynd i nôl y prifathro i'r stafell goginio er mwyn iddo fo gael gweld yr wy ar ei phen hi. Mi lwyddodd o i'w thawelu hi ymhen hir a hwyr ac mi ffoniodd o Mam i ofyn iddi hi ddod â Tracy yn ôl i'r ysgol. Penderfynu peidio â chosbi a gadael i bethau fod am y tro wnaethon nhw ar ôl trafod, gan fod Tracy'n newydd a heb gael amser i setlo i lawr eto. Roedd hi'n lwcus iawn i osgoi cosb. Mae'r genod i gyd yn ei hedmygu hi'n fawr ac yn ddiolchgar iddi hi hefyd. Yn un peth, mi fasen ni i gyd yn lecio bod yn ddigon dewr i daflu pethau at Cadi Cwc, a pheth arall, mi gollon ni'r rhan fwya o'r wers Gymraeg heddiw oherwydd y strach. Diolch am Tracy, meddai pawb, ac mae'n rhaid imi gyfaddef fy mod i'n reit falch ohoni hi.

Dydd Iau, Mehefin 9

Rôn i'n dweud fy mod i'n teimlo'n falch o Tracy ond wn i ddim beth i'w feddwl ohoni hi erbyn hyn, nac o Nerys chwaith, a dweud y gwir. Rydw i'n meddwl bod y ddwy wedi mynd dros ben llestri yn y wers Gymraeg y bore 'ma. Mi ddechreuodd y peth yn ddigon diniwed. Mi ddeudodd Parri wrthon ni am gopïo rhyw nodiadau roedd o'n eu rhoi ar y bwrdd du a phob tro roedd o'n troi'i gefn roedd Tracy yn codi ar ei thraed ac yn ei ddynwared o. Wrth gwrs, roedd pawb yn dechrau chwerthin ond roedd Parri druan yn methu'n lân â deall beth oedd yn digwydd. Roedd Tracy'n rhy sydyn o lawer iddo fo. Erbyn iddo fo droi rownd roedd hi'n eistedd yn ei sêt yn sgwennu fel coblyn a'r olwg fwya diniwed arni hi. Y peth nesa oedd iddi daflu awyren bapur at Parri. Mi benderfynodd Nerys ei chopïo hi wedyn ond mi fu honno'n ddigon gwirion i luchio darn o sialc. Mi darodd hi Parri yng nghefn ei ben. Wn i ddim beth ddaeth dros Nerys i wneud y ffasiwn beth. Rydw i'n meddwl mai isio dangos i Tracy bod hithau'n rêl cês oedd hi. Wnaeth hi 'rioed ddim byd tebyg o'r blaen, beth bynnag. Mi drodd Parri yn syth, wrth gwrs, a golwg ofnadwy o flin arno fo ond roedd o'n rhy hwyr eto. Mi aeth y ddwy ati am y gorau wedyn i'w bledu o bob tro roedd o'n troi'i gefn efo pob math o bethau – awyrennau papur, darnau bach o sialc ac ambell i bolo mint hyd yn oed. Roedd synnwyr cyffredin yn dweud y basai Parri'n gwylltio yn y diwedd, a dyna wnaeth o. Mi ofynnodd o pwy oedd yn gyfrifol a chan nad oedd neb yn cyfaddef mi ddeudodd o bod yn rhaid i'r dosbarth i gyd aros i mewn bob amser chwarae heddiw a fory. Mi fasai rhywun yn disgwyl i Rhiannon a Judith a'r lleill fod yn flin efo Tracy a Nerys ond dydyn nhw ddim. Maen nhw i gyd yn meddwl bod y ddwy'n gymeriadau. Nhw ydi'r genod mwya poblogaidd yn y dosbarth ar hyn o bryd.

Ond rôn *i*'n flin. Mae Trystan Jones ar ddyletswydd ar ddydd Iau ac mi gollais i'r cyfle i'w weld o heddiw am ein bod ni wedi gorfod aros yn y stafell Gymraeg. Mi ges i gip arno fo drwy'r ffenest yn siarad efo Marged Hughes. Dydi o 'rioed yn mynd efo hi! Tanc o hogan ydi hi. Mi fasai hi'n medru ei roi o dan ei chesail yn hawdd achos, erbyn meddwl, mae o'n reit fychan. Ond dyna fo, "Gormod o ddim nid yw dda," medden nhw.

Dydd Sadwrn, Mehefin 11

Diwrnod poeth braf a phan godais i'r bore 'ma rôn i'n meddwl fy mod i am gael diwrnod gwerth chweil. Am unwaith roedd Mam a Dad yn ddigon clên efo'i gilydd ac yn llawn cynlluniau i fynd am dro cerdded ar y mynydd. Mi gytunon nhw i ddanfon Tracy a Nerys a finnau i'r traeth cyn cychwyn.

Roedd y tywod bron yn wyn a'r haul yn grasboeth ar fy nghroen i. O! rôn i'n teimlo'n braf! A dweud y gwir, rôn i'n ddigon balch ohonaf fy hun yn fy micini newydd. Mae'r holl jogio 'na wedi gwneud byd o les i'm ffigwr i. Ond mi gymylodd fy niwrnod i'n ddigon buan. Doedden ni ddim ond wedi bod yno hanner awr pan sylwais i ar Trystan Jones. Roedd o ryw ganllath oddi wrthon ni yn gorwedd wrth ochor Marged Hughes ac yn ei swsian hi bob hyn a hyn. Roedd hi'n edrych yn anferth yn ei siwt nofio, fel rhyw forfil mawr. Ac, a bod yn onest, roedd Trystan yn edrych yn ddigon tebyg i sardîn bach wrth ei hochor hi. Mae o'n reit denau ac roedd ei groen o'n binc, binc. Mae'n rhaid nad ydi o ddim yn cymryd yr haul yn dda. Rhyfedd na faswn i wedi sylwi ar hynny o'r blaen.

Roedd y diwrnod wedi'i ddifetha i mi, wrth gwrs, ac mi aeth pethau'n waeth pan ddechreuodd Tracy a Nerys fflyrtian efo rhyw hogiau o'r dre. Rôn i'n meddwl eu bod nhw'n gwneud rêl ffyliaid ohonyn nhw'u hunain ac mi drois i ar fy mol a thrio'u hanwybyddu nhw. Mi ddechreuon nhw dynnu arna i wedyn a'm galw i'n hen ffasiwn ac yn 'gwdi-gwdi'. Wn i ddim beth sy'n digwydd i Nerys. Dydi hi ddim fel hi ei hun o gwbwl. Mae'n rhaid bod y busnes yma o'r ffatri'n cau yn effeithio arni hi.

Dydi o'n effeithio dim ar ei brawd hi chwaith. Pan aethon ni i dŷ Nerys ar ein ffordd o'r traeth, roedd hwnnw mor wirion ag arfer. Mi roddodd o halen yn y ddysgl siwgwr a chwerthin fel ffŵl pan dagodd Tracy ar ei the. Mi dalodd hi'n ôl iddo fo hefyd efo tipyn o help gan Mrs Morgan. Pan oedd o wedi troi'i gefn mi roddon nhw fwstard yn yr ola o'r teisennau bach oedd ar blât yng nghanol y bwrdd. Roedden nhw'n gwybod y basai Gareth yn cymryd y deisen ola, mae o mor farus. Mi gawson ni sbort yn gweld ei lygaid o'n dyfrio a'i dafod o'n stemio! Chwarae teg i Tracy. Mi lwyddodd hi i dalu'n ôl i Gareth ac mae Nerys a finnau'n trio gwneud hynny ers blynyddoedd.

Tair wythnos sydd gan dad Nerys yn y gwaith eto ond doedd o na Mrs Morgan ddim yn edrych yn anhapus iawn.

"Mi ddaw 'na rywbeth o rywle," meddai hi. "Dydi'r haul 'rioed wedi peidio â chodi, waeth pa mor ddu ydi'r nos."

Dydd Mawrth, Mehefin 14

Mae Tracy a Nerys wedi mynd dros ben llestri,o ddifri y tro yma. Maen nhw'n lwcus ofnadwy na chawson nhw mo'u dal: mi fasen nhw wedi cael eu hanfon o'r ysgol, rydw i'n siŵr. Tracy ddaeth ar draws y botel sieri coginio yng nghefn un o gypyrddau Cadi Cwc. Roedd hi wedi cael ei gosod i lanhau'r cypyrddau tra oedd y gweddill ohonon ni'n gwneud sgons – dydi hi ddim yn cael coginio ers y drafferth efo'r wy. Roedd hi ar ei gliniau y tu ôl i ddrws y cwpwrdd ac mi welais i hi'n cymryd llowc slei – llowc go dda hefyd achos mi fu hi bron â thagu. Mi basiodd hi'r botel i Nerys ac mi gymerodd honno lowc pan oedd Cadi wedi troi'i chefn. Dyna sut bu'r ddwy wedyn, yn pasio'r botel yn ôl ac ymlaen bob cyfle roedden nhw'n ei gael. Mi wnaethon nhw stumiau arna i i ymuno efo nhw ond gwrthod wnes i. Dydw i ddim yn credu mewn chwilio am drwbwl.

Erbyn diwedd y wers, roedd y ddwy'n reit wirion.

"Popesh yn 'i le, Mish Cwc," meddai Tracy pan ddaeth Cadi i fwrw golwg dros y cypyrddau er mai Miss Morris ydi enw'r ddynes yn iawn. Roedd y botel sieri erbyn hynny'n cuddio'n ddel y tu ôl i sosban.

Yn y wers Gymraeg wedyn, mi aeth Nerys i gysgu'n sownd, ei phen ar y ddesg a sŵn ei chwyrnu hi'n torri ar draws Parri bach bob tro roedd o'n cyrraedd lle pwysig yn ei stori. Mi gerddodd o at ei desg hi yn y diwedd a thrio'i hysgwyd hi ond ddeffrôdd hi ddim.

"Y bardd Cwshg, Mishder Parri bach," meddai Tracy wrtho fo'n glên. "Cyshgu fel y meirwon, chi'n gweld. Peidiwch chi â'i dihuno hi nawr!"

Mi sbiodd Parri yn wirion arni hi ond ddeudodd o ddim byd.

"Mae hi'n lwcus ei bod hi'n byw efo dy fam," meddai Judith wrtha i wedyn. "Oni bai am hynny mi fasai hi wedi ei chael hi gynno fo." Fu Judith 'rioed mor agos i'w chael hi ei hun. Rôn i'n cael fy nhemtio'n ofnadwy i roi dwrn yn ei hwyneb hi. Ond ymatal wnes i.

Dydd Mercher, Mehefin 15

O! pam nad eith y Tracy 'na i gysgu? Mae gen i gur yn fy mhen ac mae'r sŵn mae hi'n ei wneud wrth chwarae casetiau yn ei llofft bron â'm gyrru i'n wirion. Mi brynodd Dad beiriant iddi hi yr wythnos ddiwetha – mae'n iawn iddi hi gael ei phethau ei hun, meddai fo – a dydi hi ddim wedi stopio'i chwarae fo ers hynny.

Mi ges i ddiwrnod ofnadwy heddiw. Mi ddaeth Trystan Jones a rhai eraill o hogiau'r chweched allan i sbio arnon ni'n chwarae rownderi yn y wers ymarfer corff. Rôn i'n batio ar y pryd ac mi faswn i'n taeru bod 'na dwll yn y bat. Fedrwn i yn fy myw daro'r bêl. Tracy oedd yn bowlio imi ac rydw i'n meddwl ei bod hi'n mynd ati'n fwriadol i roi rhai anodd imi. Rydw i'n siŵr bod Trystan yn fy ngweld i'n rêl llo! Rôn i wedi mynd yn goch, goch a phan ddechreuodd Hanna Meri weiddi arna i i redeg mi ges i waith cadw'r dagrau'n ôl. Mi ddaeth tro tîm Tracy i fatio wedyn ac, wrth gwrs, roedd hi ar ei gorau, yn eu taro nhw am y ffens fel tasai hi'n chwarae criced i Forgannwg. Roedd hi'n rhedeg fel y gwynt hefyd a Trystan Jones a'r lleill ar eu traed yn gweiddi, "Hwrê!" a "'Tyrd Tracy!" dros y lle. Roedd hithau wrth ei bodd yn eu clywed nhw – roedd hi'n troi bob hyn a hyn i godi llaw fel tasai hi'n diolch iddyn nhw am eu cefnogaeth. Roedd hi'n ddigon i droi fy stumog i! Roedd Hanna Meri wedi fy ngosod i ymhell allan ar y cae ac mae'n rhaid imi gyfaddef bod gen i fwy o ddiddordeb yn Trystan Jones nag yn y gêm. Mae'n rhaid bod Tracy wedi sylwi ar hynny achos mi roddodd hi andros o drawiad i'r bêl a'i gyrru hi'n syth i'm cyfeiriad i.

"Dal hi!" gwaeddodd pawb. "*Catch*! Tyrd, Delyth! Mae hi'n un hawdd!" Ond methu wnes i. Ac mi glywn i'r hogiau'n gweiddi "Hwrê!" wrth i Tracy gael rownder arall.

Mae'r profiadau gwaethaf yn dod i ben ac mi ddaeth y wers i'w therfyn o'r diwedd. Mi gerddais i'n ôl i'r stafell newid efo Nerys. Roedd Tracy yng nghanol criw o edmygwyr.

"Welaist ti hi?" meddai Nerys. "'Tydi hi'n grêt! Mi ddylai hi fynd i chwarae'n broffesiynol. Nefoedd, mae hi'n ffit! Ac yn hogan glên hefyd! Iesgob, rwyt ti'n lwcus, Del."

"Lwcus!" meddwn i. Fedrwn i ddim dal rhagor. "Yli, os wyt ti'n meddwl ei bod hi mor grêt, pam na wnei *di* ei mabwysiadu hi?"

Mi gloais fy hun yn y tŷ bach i grio'n iawn. Mae gen i gur yn fy mhen byth ers hynny. Dydi o ddim gwell ar ôl imi ddod i'r gwely. O! mi leciwn i tasai'r Tracy 'na'n bod yn ddistaw!

Dydd Iau, Mehefin 16

Diwrnod diflas, diflas, diflas. Rydw i wedi cael digon. Rydw i wedi cael llond bol ar yr ysgol ac ar Mam a Dad a Tracy a Nerys a phawb arall. Rydw i wedi 'laru meddwl am Trystan Jones a breuddwydio am Trystan Jones a thrio gwneud fy hun yn ddel i Trystan Jones a gobeithio bod Trystan Jones yn mynd i sylwi arna i. DYDW I BYTH ISIO GWELD TRYSTAN JONES ETO TRA BYDDA I BYW.

Wnaeth hi ddim stopio bwrw drwy'r dydd. Amser cinio roedd yn rhaid inni i gyd aros i mewn yn y stafell ddosbarth. Wrth gwrs, mi ddechreuodd Tracy fynd drwy'i phethau – mae hi wrth ei bodd yn cael cynulleidfa. Dyna lle'r oedd hi'n tynnu stumiau ac yn dynwared athrawon ac yn mwynhau clywed pawb yn chwerthin am ei phen hi, pan agorodd y drws a daeth Trystan Jones i mewn. Roedd o ar ddyletswydd ond yn lle dweud wrthon ni am fod yn ddistaw mi eisteddodd o i lawr i wylio perfformans Tracy. Cyn pen chwinc roedd o'n chwerthin fwy na'r un ohonon ni. Roedd hi ar ben ei digon, wrth gwrs, ac yn dangos ei hun yn ofnadwy ond doedd Trystan ddim yn sylweddoli hynny. Roedd o'n amlwg yn meddwl ei bod hi'n grêt. Mae'n rhaid ei fod o'n fwy twp nag mae o'n edrych. Hen chwerthiniad gwirion oedd gynno fo hefyd – rhyw gyfuniad o sŵn ceffyl a sŵn tylluan. Dôn *i* ddim yn gweld bod 'na gymaint â hynna o achos chwerthin. Mae Tracy'n medru bod yn ddoniol weithiau, mae'n wir, ond rydw i'n cael llond bol pan mae hi'n mynd ymlaen ac ymlaen. Mae hi'n codi cywilydd arna i.

Wnaeth Trystan Jones ddim cymaint â sylwi arna i. O! rydw i'n teimlo'n ddigalon. Yr unig beth da i ddigwydd heddiw oedd inni gael ffôn gan Dylan yn dweud ei fod o'n dod adre am noson nos fory.

Dydd Gwener, Mehefin 17

Wn i ddim beth i'w feddwl. Efallai bod Judith a'r lleill yn iawn. O! gobeithio nad ydyn nhw ddim! Mi glywais i nhw'n pwffian chwerthin pan roddodd Parri bach y llythyr imi y pnawn 'ma a gofyn imi fynd â fo i Mam.

"Argol! Mae blew ei drwyn o bron â hedfan i ffwrdd!" meddai Judith dan ei gwynt ond mi gymerais i arnaf nad ôn i ddim wedi clywed. Ond rôn i'n poeni'n ddistaw bach ac mi edrychais i'n ofalus ar wyneb Mam pan agorodd hi'r llythyr. Roedd hi'n edrych yn od – yn hanner blin ac yn hanner hapus. Ddeudodd hi ddim byd ond,

"Gwnewch swper i chi'ch hunain. Wn i ddim faint fydda i." Ac i ffwrdd â hi. Dydi hi byth wedi dod yn ôl ac mae hi'n tynnu am hanner nos bellach. Mae Dad yn wyllt gacwn. Mi gafodd wybod am y llythyr gan Tracy – doedd gan honno ddim digon o synnwyr cyffredin i gau ei cheg – a dydi o wedi gwneud un dim wedyn ond cerdded yn ôl ac ymlaen ar draws y stafell fyw a gwneud ambell i drip i'r gegin i nôl coffi du. Mi awgrymais i y basai'n well iddo fo fynd am jog os oedd o isio ymarfer ac mi gynigiodd Tracy fynd efo fo ond chymerodd o ddim sylw ohonon ni. Mae'n amlwg bod y peth yn ei boeni o'n ofnadwy ac mae'n rhaid imi gyfaddef nad ydw i ddim yn teimlo'n rhyw hapus iawn fy hun.

O! mi leciwn i tasai Dylan wedi dod adre! Roedden ni'n ei ddisgwyl o ond mi ffoniodd o tua wyth i ddweud ei fod o wedi ailfeddwl. Mae o am ddod yr wythnos nesa ar gyfer fy mhen-blwydd i. Wythnos i heddiw – mi fydda i'n bymtheg oed. O! gobeithio y bydd Mam yn ôl erbyn hynny!

Fasai hi ddim yn fy ngadael i i fynd efo'r hen sglyfaeth budur Parri bach, rydw i'n siŵr na fasai hi ddim. O! lle mae hi? Mae hi'n fore fory rŵan a does 'na ddim golwg ohoni hi. Beth tasai hi wedi cael damwain? Beth tasai hi'n gorwedd yn farw ar ochor y ffordd yn rhywle? Beth tasai hi mewn gwesty efo Parri bach?

Dydw i ddim yn lecio bod ar fy mhen fy hun yn y llofft 'ma. Rôn i isio aros i lawr efo Dad ond mi anfonodd o fi i fyny.

"Does 'na ddim achos iti boeni," meddai fo er bod golwg poeni ofnadwy ar ei wyneb o. Mae'n siŵr bod Tracy wedi cysgu ers meitin. Mi leciwn i ei deffro hi er mwyn cael cwmni ond mae arna i ofn iddi hi wneud jôc o'r peth. Dydw i ddim yn teimlo fel chwerthin.

Dydd Sadwrn, Mehefin 18

Mi ddaeth Mam adre am dri munud ar hugain wedi tri y bore 'ma. Mi glywais i'r car yn aros wrth y tŷ ac mi glywais i'r drws yn agor. Mi glywais i leisiau Mam a Dad – llais Dad yn uchel ac yn flin a llais Mam yn ddistaw ac yn mynd ymlaen yn hir. Fedrwn i ddim dal. Roedd yn rhaid imi gael mynd i lawr. Mi agorais i ddrws y stafell fyw a bacio'n ôl pan welais i Mam a Dad yn dynn ym mreichiau'i gilydd. Ond mi welodd Mam fi a'm tynnu i ati hi i eistedd ar y soffa. Mi rois i fy mhen i lawr ar ei glin hi ac mi dynnodd ei llaw ar draws fy nhalcen i fel y byddai hi'n gwneud ers talwm. O! roedd hi'n braf ei chael hi'n ôl.

"Gwranda, Delyth fach," meddai hi, "wyt ti wedi bod yn poeni am yr un peth â Dad? Mae'n iawn iti gael yr hanes i gyd. A thithau hefyd 'Tracy," meddai hi wedyn. "Rwyt tithau'n un o'r teulu."

Dôn i ddim wedi sylwi ar y drws yn agor ond pan godais i fy mhen roedd Tracy'n sefyll yno ac ôl crio hir ar ei hwyneb hi.

"Symo fi 'di cysgu winc," meddai hi a chroesi'r stafell i eistedd yn glòs wrth ochor Mam.

Mi gawson ni'r hanes wedyn, a diolch byth, doedd dim achos poeni o gwbwl. Roedd Parri bach wedi darganfod bod gan y Cyngor Sir fyncar niwclear rywle wrth ymyl y dre ac roedd o wedi trefnu i griw ddringo i mewn i'r lle neithiwr. Dyna oedd yn y llythyr anfonodd o at Mam – manylion am y cynlluniau. A dyna lle'r oedd Mam wedi bod drwy'r nos. Roedd hi a'r lleill wedi cael eu restio ac roedd hi wedi gorfod treulio oriau yn Swyddfa'r Heddlu.

"A gwrandwch, y tri ohonoch chi," meddai hi ar ôl dweud yr hanes, "mae'n amlwg eich bod chi wedi camddeall pethau'n llwyr. Mae Aneurin Parri a finnau'n cydweithio ar y pwyllgorau ond does 'na ddim byd arall rhyngddon ni. Fu 'na 'rioed a fydd 'na byth. Ych-â-fi! Mae gynno fo fol cwrw!"

Mi chwarddodd Dad a Tracy a finnau ac mi ymunodd Mam efo ni. Neu mi driodd ymuno – roedd ei llygaid hi'n edrych fel tasai hi isio crio. Mae'n rhaid ei bod hi wedi blino'n ofnadwy.

Roedd Dad ar y llaw arall yn edrych ar ben ei ddigon, er y bydd pethau'n annifyr iawn iddo fo ddydd Llun, meddai fo – ei wraig wedi'i harestio ar dir y Cyngor Sir ac yntau'n swyddog pwysig yno.

"Sôn am hynny!" meddai Mam – ac roedd ei llygaid hi'n sgleinio eto – "Sut na faset ti'n gwybod am y byncar 'ma cyn hyn?"

"Nid byncar ydi o. Lle i storio pethau," meddai Dad.

"Hy! Wyt ti'n disgwyl i mi goelio hynny?" Roedd Mam ar gefn ei cheffyl ac i ffwrdd â'r ddau fel ci a chath unwaith eto. Mi sleifiodd Tracy a finnau o'r stafell a mynd i'r gegin i wneud paned.

"Paid â phryderu amdanyn nhw," meddai Tracy. "Maen nhw'n hoffi bod fel'ny, mae'n rhaid. Mae rhai pobol yn mwynhau cweryla, ac mae'n ddigon amlwg bod y ddou yna'n addoli'i gilydd, yn y bôn."

Rydw i'n siŵr ei bod hi'n iawn. A dweud y gwir, rydw i'n meddwl bod Tracy yn iawn am un neu ddau o bethau eraill hefyd. Mi fuon ni'n siarad yn hir ar ôl mynd â'n paneidiau i fyny i'r llofft.

"Symo Trystan Jones yn werth becso obeutu fe," meddai hi. "Mae e'n rhy hen o lawer i ni. Mae e bron yn ganol oed!"

Efallai fod gynni hi bwynt yn fan'na. Pan fydda i'n un ar bymtheg ac yn ddigon hen i briodi, mi fydd o'n ugain ac mae hynny'n hynafol! Mae o braidd yn denau hefyd a dydw i 'rioed wedi lecio croen pinc.

"Mynd yn salwach wrth fynd yn hŷn wneith e," meddai Tracy. "Wy'n nabod y teip!"

Do, mi fuon ni'n siarad yn hir a phan gododd Tracy i fynd i'w llofft ei hun rôn i wedi ymlacio digon i gyfaddef fy mod i dipyn bach yn eiddigeddus ei bod hi a Nerys yn gwneud cymaint efo'i gilydd. Mi ddeudais i fy mod i'n teimlo allan ohoni weithiau.

"Paid â siarad dwli," oedd geiriau ola Tracy wrth fynd drwy'r drws. "Ffrind yw hi. Ti yw'n chwâr i, ontefe?"

Ac, erbyn meddwl, mae hi'n iawn. Dydi ffrind a chwaer ddim yr un peth. Does 'na ddim disgwyl iddyn nhw fod yr un peth. A does 'na ddim rheol yn dweud bod yn rhaid i rywun lecio'i chwaer drwy'r amser. Rydw i'n casáu Dylan weithiau, yn amlach na pheidio, a dweud y gwir, pan mae o gartre. Ond rydw i'n falch o'i weld o bob amser er na faswn i'n cyfaddef hynny wrtho fo. Mae o'n perthyn imi a dyna sy'n bwysig. Mae'n debyg bod Nerys yn teimlo rhywbeth tebyg am yr hen Gareth hyll 'na, fel mae hi wiriona.

Mae'r tŷ yn ddistaw rŵan. Mi orffennodd Mam a Dad eu 'sgwrs' ers meitin ac maen nhw'n cysgu'n sownd erbyn hyn. Ac yn y llofft drws nesa mae fy chwaer i'n cysgu ac yn breuddwydio, mae'n siŵr, am fflyrtian ar y traeth fory. Gobeithio i'r nefoedd na wneith hi ddim codi cywilydd arna i.